La Cabane  Magique

Mary Pope Osborne

La Cabane Magique

Conception et réalisation de la maquette : Isabelle Southgate.
Colorisation de la couverture : Paul Siraudeau.
Suivi éditorial : Karine Sol.

Loi n° 49 956 du 16 juillet 1949
sur les publications destinées à la jeunesse.
ISBN : 2.7470.2047.9
Dépôt légal : mars 2006

La Cabane Magique

- Sur le **fleuve Amazone**

- Le **sorcier** de la **préhistoire**

- Le **voyage** sur la **Lune**

BAYARD POCHE

Léa

Prénom : Léa

Âge : sept ans

Domicile : près du bois de Belleville

Caractère : espiègle et curieuse

Signes particuliers : ne manque jamais une occasion d'entraîner son frère Tom dans des aventures mouvementées, sans se soucier du danger.

Tom

Prénom : Tom

Âge : neuf ans

Domicile : près du bois de Belleville

Caractère : studieux et sérieux

Signes particuliers : aime beaucoup les livres, qui l'aident à se sortir de situations périlleuses.

La disparition de la fée Morgane

Mais qu'est-il arrivé à la fée Morgane ?
Tom et Léa ont trouvé dans la cabane
magique un message alarmant...

Morgane est

en danger :

on lui a jeté
un mauvais sort !
Il faut la délivrer !

Pour cela, nos deux héros doivent

réunir
trois objets
qui les mettront sur la piste,
mais... quels objets ?
Ils n'en savent rien !

Lis bien les trois livres dans l'ordre,
peut-être résoudras-tu ce mystère avant eux !

N° 5, Sur le fleuve Amazone
    N° 6, Le sorcier de la préhistoire
        N° 7, Le voyage sur la Lune

À toi d'enquêter ! Bon voyage !

À Piers Pope Boyce.

Titre original : *Afternoon on the Amazon*
© Texte, 1995, Mary Pope Osborne.
Publié avec l'autorisation de Random House Children's Books,
un département de Random House, Inc., New York, New York, USA.
Tous droits réservés.
Reproduction même partielle interdite.
© 2005, Bayard Éditions Jeunesse
© 2003, Bayard Éditions Jeunesse pour la traduction française
et les illustrations.

La Cabane Magique

Sur le fleuve Amazone

Mary Pope Osborne

Traduit et adapté de l'américain
par Marie-Hélène Delval

Illustré par Philippe Masson

Cacahuète !

– On va voir ? propose Léa.

– Ce n'est pas la peine, soupire Tom. On y est allés hier, on y est retournés ce matin. La cabane n'est plus là.

Tom et Léa reviennent de la bibliothèque. Pour rentrer chez eux, ils passent tout près du bois de Belleville. C'est là qu'ils ont découvert la cabane magique. Et qu'ils ont rencontré la fée Morgane.

Mais Morgane a disparu, la cabane aussi. Réapparaîtront-elles un jour ?

– Tu fais ce que tu veux, dit Léa. Moi, j'y vais.

Elle prend le chemin du bois.

– Léa ! Attends ! Il va bientôt faire nuit !

Bien sûr, Léa n'écoute pas, comme d'habitude. Tom s'arrête. Il regarde les bois. Il a presque perdu l'espoir de revoir un jour la fée Morgane. Et de grimper de nouveau dans la cabane magique.

Soudain, la voix de Léa l'appelle au loin :

– Tom ! La cabane est revenue !

« C'est une blague », pense Tom. Mais son cœur s'est mis à battre plus fort.

– Viens vite, Tom !

– Toi, grommelle son frère, tu n'as pas intérêt à me faire marcher !

En fait de marcher, il se met à courir sur le sentier qui s'enfonce dans le bois. La nuit tombe, les grillons chantent. Il fait bien sombre sous les arbres.

– Léa ?

– Je suis là, Tom !

– Où ça, là ?

– Ici ! Lève la tête !

C'est vrai ! Léa lui fait de grands signes depuis la fenêtre de la cabane, en haut du plus haut chêne. L'échelle de corde pend le long du tronc, comme pour l'inviter à grimper. La cabane magique est de retour !

– Alors, tu montes ? crie Léa.

Tom attrape l'échelle ; il grimpe, il grimpe. On y voit plus clair, quand on domine la cime des arbres. Encore un échelon, et Tom est dans la cabane.

Il y a des livres partout, comme avant. Sur le sol, le grand M doré luit doucement. M comme Morgane la fée. Mais Morgane n'est pas là.

– Où peut-elle bien être ? murmure Tom.

– Kiiiiiiii !

Une souris s'échappe du tas de livres et court sur le plancher. Elle s'arrête entre les jambages du grand M, s'assied et regarde fixement les deux enfants.

– Oh ! fait Léa. Elle est trop mignonne !

C'est vrai qu'elle est mignonne, cette petite bête, avec sa douce fourrure brune et ses petits yeux ronds et noirs, Tom doit le reconnaître.

Léa tend la main, doucement. La souris

ne bouge pas. Léa caresse du bout du doigt la minuscule tête :

– Bonjour, Cacahuète ! Tu veux bien que je t'appelle Cacahuète ?

– Cacahuète ! soupire Tom en levant les yeux au ciel. Tu parles d'un nom pour une souris !

– Sais-tu où est Morgane, Cacahuète ? demande Léa.

– Kiiiiiii ! fait la souris.

– Si tu crois qu'elle va te répondre ! se moque Tom. Ce n'est pas parce que cette souris est entrée dans la cabane magique qu'elle est magique, elle aussi !

À cet instant, Tom aperçoit un morceau de papier qui traîne sur le plancher :

– Hé ! Qu'est-ce que c'est que ça ?

– Quoi ?

Tom se baisse et ramasse le papier. Quelques mots sont écrits dessus. Tom les lit, puis il souffle :

– Ça alors !

– Qu'est-ce que c'est ?

– On dirait un message de Morgane ! Elle paraît en danger !

Un livre ouvert

Tom montre le papier à sa sœur.
On y lit :

> Aidez-moi – mauvais sort –
> Trouvez trois obj

– Qu'est-ce que c'est, des « obj » ?
– Je pense qu'elle voulait écrire « objets »,
dit Tom, et qu'elle n'a pas eu le temps
de finir.
– Quelqu'un a dû lui lancer un mauvais
sort, suppose Léa. Et ça l'a fait disparaître.

19

– Probablement. Mais elle a peut-être laissé un autre indice ?

Tom fouille la cabane du regard.

– Là ! crie Léa en montrant un livre abandonné dans un coin. C'est le seul livre ouvert !

Tom s'empare du volume et regarde la couverture. On y voit une forêt verte et dense, avec des arbres immenses. Le titre est : *La forêt tropicale.*

– Oh non ! souffle Léa. Pas ça !

– Pourquoi ? s'étonne Tom.

– Parce que ! On a parlé de cette forêt, en classe. Elle est pleine de sales bêtes et d'énormes araignées !

– C'est vrai, dit Tom. La moitié des insectes qui y vivent n'ont même pas encore été répertoriés ! C'est super !

– Tu trouves ? fait Léa en frissonnant.

Tom, lui, se voit déjà décrire dans son carnet ces insectes inconnus. Peut-être

même pourra-t-il leur trouver des noms ?
Il reprend :

– Qu'est-ce qui t'inquiète ? Tu n'as pas eu peur des dinosaures !

– Et alors ?

– Tu ne t'es pas laissé impressionner par les gardes du château, ni par le fantôme de la momie ! Tu as même tenu tête aux pirates ! Tu ne vas pas me dire que de malheureuses petites bestioles te fichent la trouille !

– Si.

– Écoute, insiste Tom, on n'a pas le choix. Si on veut aider Morgane, on doit aller là-bas. Elle a besoin de nous. C'est pour ça qu'elle a laissé ce livre ouvert.

– Je sais.

– De plus, continue Tom, on coupe tellement d'arbres dans la forêt amazonienne qu'elle va bientôt disparaître. C'est notre dernière chance de la découvrir avant qu'il ne soit trop tard !

Léa inspire profondément et hoche la tête.

– Bon, décide Tom. On y va !

Il ouvre le livre, il pose son doigt sur une image montrant un fouillis de feuilles vertes et de fleurs éclatantes et déclare :

– Nous souhaitons voir cette forêt !

Aussitôt, le vent se met à souffler.

– Kiiiiiiii !

– Accroche-toi, Cacahuète, dit Léa en fourrant la souris dans sa poche.

Le vent souffle plus fort. Lentement, la cabane se met à tourner. Tom ferme les yeux. Le vent hurle, maintenant. La cabane magique tourne de plus en plus vite. Elle tourbillonne comme une toupie folle.

Puis tout se tait, tout s'arrête.

De curieux petits bruits remplissent soudain le silence.

Criiiiiiiiiiii…

Bzzzzzzzzzz…

Chirp, chirp, chirp…

À la cime
des arbres

Tom ouvre les yeux. Le soleil brille. L'air est humide et chaud.

– On a atterri dans des buissons, dit Léa, déjà penchée à la fenêtre.

– Kiiiiiiii ! fait Cacahuète en sortant la tête de la poche.

Tom va regarder à son tour. La cabane est posée sur une énorme masse de feuilles vertes et luisantes. Des papillons multicolores volettent autour des fleurs, exactement comme sur l'image du livre.

– C'est bizarre, remarque Tom. Pourquoi

la cabane ne s'est-elle pas posée en haut
d'un arbre, comme d'habitude ?

– Je n'en sais rien, dit Léa. Mais ne restons
pas là. Il faut chercher le…, l'objet, enfin,
le truc pour délivrer Morgane !

– Une minute ! la retient Tom. Je me
demande vraiment ce qu'on fait dans ces
buissons ! Ce n'est pas normal. Attends un
peu que je regarde dans le livre.

– On n'a pas le temps, tu regarderas plus tard. Et puis, comme ça, on n'a pas besoin de l'échelle de corde. On n'a qu'à sauter par la fenêtre !

Léa met Cacahuète en sécurité au fond de sa poche et enjambe le rebord de la fenêtre.

– Attends ! crie Tom.

Il retient sa sœur par une jambe, et il lit à haute voix :

Les arbres de la forêt tropicale peuvent atteindre 50 mètres de haut. Leur cime s'appelle la canopée. En dessous se développe un réseau serré de lianes et de plantes grimpantes. Au niveau du sol, le sous-bois est très obscur.

– Stop ! Ne saute pas, Léa ! On est à plus de cinquante mètres du sol ! Dans la canopée !

– Ouille ! fait la petite fille.

Et elle retire vite son autre jambe, qui pendait dans le vide.

– On descend par l'échelle, comme d'habitude, décide Tom.

Il écarte de la main les feuilles qui encombrent l'ouverture de la trappe. En se penchant, il aperçoit les premiers échelons, qui s'enfoncent dans un fouillis de branches. Mais il ne voit pas plus loin.

– Je ne sais pas trop ce qu'il y a en bas, dit-il. Soyons prudents !

Il range le livre dans son sac à dos, et il commence à descendre. Léa le suit, Cacahuète blottie au fond de sa poche.

Tom progresse lentement à travers l'épais feuillage. Sous la canopée, ils entrent dans un monde complètement différent. Le soleil n'y pénètre pas. L'air est plus frais, mais toujours aussi humide. On n'entend aucun bruit. Tom frissonne. Jamais il n'a mis les pieds dans un endroit aussi effrayant.

Des bestioles par millions !

Tom s'immobilise, agrippé à l'échelle. Il regarde vers le bas. Le sol est encore tellement loin !

– Quelque chose ne va pas ? demande Léa, qui s'est arrêtée juste au-dessus de lui.

Tom ne répond pas.

– Tu n'as pas vu une araignée géante ou un truc comme ça, j'espère ?

– Non, non…

« Il faut pourtant qu'on descende, pense-t-il. Il faut qu'on trouve l'objet qui peut sauver Morgane… »

– Non, poursuit-il. Pas d'araignées, rien de dangereux.

Et il reprend la descente. Heureusement, l'échelle de corde semble s'être allongée. Elle est sans doute magique, elle aussi ! Enfin, Tom pose le pied sur le sol.

Seuls quelques minces rayons de lumière traversent les entrelacs du feuillage. Des lianes pendent de partout. Le sol est couvert d'un épais tapis de feuilles mortes.

– Avant de se risquer là-dedans, on ferait bien de consulter le livre, dit Tom.

Il le sort de son sac et le feuillette jusqu'à ce qu'il trouve une image représentant le sous-bois obscur. Il lit :

Beaucoup d'insectes de la forêt tropicale sont les rois du camouflage. Leur forme et leur couleur leur permettent de se confondre avec les feuilles ou les branches.

– Ouah ! s'écrie-t-il en refermant le livre. C'est plein de petites créatures, ici. Seulement, on ne les voit pas !
– Tu es sûr ? souffle Léa.
Tous deux jettent autour d'eux des regards inquiets, persuadés que des millions d'yeux invisibles sont en train de les observer.
– Dépêchons-nous de trouver la « chose » pour sauver Morgane, dit Léa.

– Oui, mais… comment on saura qu'on l'a trouvée ?

– Ben…, on le saura, c'est tout. Allez, viens !

Léa avance prudemment dans la lumière verdâtre du sous-bois. Tom la suit. Ils contournent d'énormes troncs d'arbres, écartent les lianes. Soudain, Léa s'arrête :

– Écoute !

– Quoi ?

– J'entends un drôle de bruit !
Tom tend l'oreille. Et lui aussi,
il entend. On dirait des pas.
Les pas de quelqu'un qui
marche dans les feuilles en
traînant les pieds. Tom regarde de tous ses yeux. Il ne
voit personne. Le bruit se
rapproche. Est-ce un ani-
mal ? Un insecte géant ?
Ou… une chose qui n'a
pas de nom ?

Et, d'un seul coup, la forêt silencieuse s'anime.
Des oiseaux s'envolent
dans un grand bruis-
sement d'ailes, des
grenouilles bondis-
sent entre les hautes
herbes, des lézards

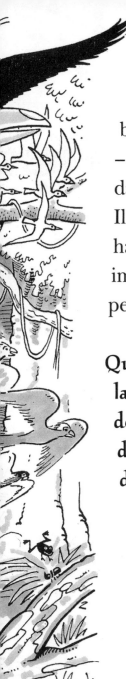

filent comme des flèches sur l'écorce des troncs. L'étrange bruit se rapproche encore.

– Il y a peut-être une explication dans le livre, chuchote Tom.

Il le sort de son sac, le feuillette hâtivement. Et il tombe sur une image représentant une foule de petits animaux en fuite. Il lit :

Quel est ce bruit qui sème la panique chez les bêtes de la forêt ? C'est une armée de fourmis carnivores marchant dans les feuilles mortes !

– Des fourmis ! crie Tom. Des millions de fourmis !

– Où ça ? s'affole Léa.

Les deux enfants regardent autour d'eux. Rien.

Puis Léa pointe son doigt :

– Aaaah !

L'armée des fourmis est là, elle s'avance. Des milliers et des milliers de fourmis.

– On court à la cabane ! lance Léa.

Oui, mais… où est-elle, la cabane ? On ne voit pas l'échelle de corde. Rien que des lianes, toutes pareilles, accrochées à des arbres qui se ressemblent.

– On court quand même ! décide Léa.

Ils s'élancent entre les énormes troncs, ils enjambent des racines, ils se prennent dans les lianes. Tom distingue enfin un espace plus clair, plein de soleil. Il crie :

– Par là !

Ils courent, ils courent, ils traversent des buissons. Et ils surgissent, hors d'haleine,

sur la berge d'un fleuve. Ils s'arrêtent, contemplent les flots boueux qui coulent, lentement.

– Tu crois que les fourmis vont venir jusque-là ? s'inquiète Léa.

– Si on avance un peu dans l'eau, on sera en sécurité. Les fourmis n'aiment pas l'eau.

– Voilà ce qu'il nous faut ! s'exclame Léa en désignant un tronc couché sur la rive. L'intérieur du tronc est creux, on dirait un canoë.

Le vacarme produit par l'armée des fourmis affamées marchant dans les feuilles mortes résonne soudain, tout près.

– On monte là-dedans, vite ! crie Tom en fourrant le livre dans son sac à dos.

Ils grimpent tous les deux dans le canoë de fortune. Léa pousse des deux mains pour éloigner leur embarcation de la rive.

– Attends ! dit Tom. On n'a rien pour ramer !

Trop tard ! Le canoë dérive déjà au fil de l'eau.

Oh, les jolis poissons !

– Kiiiiiiii !

Léa tapote la tête de la petite souris, qui dépasse de sa poche :

– Ne t'en fais pas, Cacahuète, on est sauvés ! Les vilaines fourmis carnivores ne peuvent pas nous attraper ici !

– On a peut-être échappé aux fourmis, dit Tom, mais je ne sais pas où le fleuve nous emmène !

La rive défile lentement. Des lianes entrelacées pendent aux branches des arbres et traînent dans l'eau.

– Voyons ce que raconte
le livre, propose Tom.
Il le sort de son sac, le
feuillette et trouve l'image
qui l'intéresse. Il lit :

**Le fleuve Amazone est
le plus long du monde.
Il prend sa source dans
les montagnes du Pérou,
il traverse le Brésil, et va
se jeter dans l'Atlantique
après avoir parcouru
6 762 kilomètres. Sur
ses rives pousse une
immense forêt
tropicale.**

Tom et Léa se regardent. Ils regardent le fleuve. Presque sept mille kilomètres ! C'est fabuleux !

– Il faut que je note ça ! s'exclame Tom.

Il sort son carnet de son sac et commence à écrire :

L'Amazone,
le plus long fleuve
du monde, est...

Léa laisse traîner sa main dans l'eau. Elle dit :

– Tom, tu as vu ces poissons ?

– Hein ?

Tom lève le nez de son carnet. Léa lui montre un poisson bleu au ventre rouge qui nage tout près de leur embarcation.

– Des piranhas ! hurle Tom.

Léa retire vivement sa main.

– Tes jolis poissons, grommelle son frère,

ils sont capables de dévorer un buffle en quelques minutes ! Et même des gens ! On ferait mieux de regagner la rive.

– Oui, mais comment ? On n'a pas de rames !

Tom s'efforce de rester calme :

– On va se débrouiller.

Il remarque alors une grosse branche qui flotte tout près.

– Essaie d'attraper cette branche, dit-il. Ça nous fera une pagaie.

Léa se penche. Mais…

La branche sort sa tête de l'eau et ouvre une énorme gueule pleine de dents !

– Un crocodile ! crie la petite fille en se rejetant en arrière.

L'animal referme sa gueule. Il longe le canoë et rampe sur la rive.

– La vache ! lâche Tom.

– Ce n'est pas une vache, essaie de plaisanter Léa. Je te dis que c'est un crocodile !

Ça ne fait pas rire Tom. Mais, comme le canoë s'apprête à passer sous une voûte de lianes, il propose :

– On n'a qu'à attraper une liane et tirer dessus pour se rapprocher de la rive.

– Bonne idée !

Tom se redresse. Le canoë manque de chavirer, Tom se rétablit de justesse. Il ordonne à sa sœur :

– Fais contrepoids !

Léa se penche de l'autre côté. Tom se lève de nouveau, il tend la main. Raté ! Il essaie encore une fois.

Cette grosse liane, là, il va…

Oui ! Il la tient !

La liane est lisse et froide, et elle remue dans sa main.

– AAAAAAH !

Tom pousse un hurlement et se laisse retomber dans l'embarcation. La liane est vivante !

C'est un mince et long serpent vert, qui glisse du haut d'une branche,

plonge dans l'eau et s'enfuit sans bruit.

– Fffff ! souffle Tom. C'est sûrement ce qu'on appelle un serpent-liane !

– Qu'est-ce qu'on va faire, maintenant ? balbutie Léa.

– Eh bien, on va…

Tom réfléchit. S'agripper à une liane ne lui paraît plus une si bonne idée.

Un cri aigu les fait soudain sursauter tous les deux.

Ils lèvent les yeux, terrorisés. Quelle affreuse créature vont-ils encore découvrir ? Ouf ! Ce n'est qu'un singe ! Un mignon petit singe au poil brun, qui se balance, pendu à une branche par sa longue queue.

6

Malin comme un singe

– Kiiiiiiii ! Kiiiiiiii !

La souris pointe son museau hors de la poche de Léa. Ses pattes s'agitent, ses moustaches frémissent.

– N'aie pas peur, Cacahuète, la rassure la petite fille, ce n'est qu'un petit singe. Il ne te fera pas de mal ; regarde comme il a l'air gentil !

Le singe cueille un gros fruit orangé qui pend à une branche, et... il le lance sur le canoë !

– Attention ! crie Tom.

Il baisse la tête. Le fruit tombe à l'eau en éclaboussant les enfants.

Le singe grimace et montre les dents. Il saisit un autre fruit.

– Hé, toi, là-bas ! Ça suffit ! proteste Léa.

Le deuxième projectile la frôle et tombe dans l'eau derrière elle avec un gros splash !

– Mais arrête, quoi !

Le singe gesticule et pousse des cris perçants. Il arrache un troisième fruit et le jette de toutes ses forces. Cette fois, le fruit atterrit en plein milieu du canoë. Léa le ramasse, elle se lève et le renvoie sur le

singe. Raté ! Le canoë tangue. Léa perd l'équilibre et manque de tomber à l'eau.

Le singe semble déchaîné. Il criaille on ne sait quoi en langage singe.

– Va-t'en, sale bête ! hurle Léa. Tu es trop moche !

Le singe se tait brusquement, il dévisage la petite fille d'un drôle d'air. Puis, en se balançant, il s'accroche à une branche et disparaît dans l'épaisseur de la forêt.

– Tu l'as vexé, remarque Tom.

– Bien fait pour lui ! Il n'avait qu'à ne pas nous lancer des trucs à la tête !

À ce moment, de grosses gouttes de pluie s'écrasent autour d'eux en crépitant.

– Allons bon, grogne Tom. Il pleut !

– C'est normal. Il pleut tout le temps, dans la forêt tropicale. On l'a appris à l'école !

Un violent coup de vent pousse le canoë. Le tonnerre gronde.

– On va avoir une tempête, dit Tom. Ne

restons pas sur l'eau, c'est dangereux. Regagnons le rivage tout de suite.

– Facile à dire ! Je te signale qu'on ne peut pas y aller à la nage, c'est plein de serpents, de crocodiles et de piranhas, là-dedans !

De nouveaux cris attirent leur attention.

– Oh non ! grogne Tom. Cette saleté de singe est de retour !

Cette fois, l'animal est armé d'un long bâton, qu'il agite d'un air menaçant. Va-t-il le lancer vers le canoë comme une lance ? Tom se recroqueville, la tête dans ses bras. Léa, elle, se redresse et vocifère :

– Hé ! Ho ! Qu'est-ce que tu veux encore ?

– Baisse-toi, lui souffle Tom.

Léa et le singe s'affrontent du regard un

bon moment. Puis le singe fait une drôle de grimace. C'est drôle, on dirait qu'il sourit. Léa sourit aussi.

Tom risque un œil :

– Qu'est-ce qui se passe ?

– Mais oui, s'écrie Léa, j'ai compris ! Il veut nous aider !

– Hein ?

Léa a raison ! Le singe lui tend son long bâton. Elle en attrape l'extrémité. Le singe tire, et le canoë se rapproche lente-ment de la rive.

7

Minet, Minet !

La pluie tombe dru, maintenant.

Tom et Léa sautent du canoë. Devant eux, le singe se balance de branche en branche, le long de la berge. Puis il se retourne, agite les bras en poussant de petits cris.

– Il nous fait signe de le suivre, dit Léa.

– Ce n'est pas en courant après un singe qu'on va trouver l'objet qui peut sauver Morgane ! rouspète Tom. Rentrons !

– Tu ne vois donc pas qu'il veut nous aider ? La petite fille court derrière le singe, et elle disparaît dans la forêt.

– Léa !

Un coup de tonnerre couvre la voix de Tom.

– Mais c'est pas vrai ! grogne-t-il

Et il se lance sur les pas de sa sœur. Il pleut de plus en plus fort. Heureusement, la voûte des arbres forme comme un immense parapluie.

– Léa !

– Tom ! Dépêche-toi !

– Où es-tu ?

– Je suis là !

Tom fonce dans la direction d'où vient la voix. D'abord, il voit le singe, pendu par la queue à une branche, qui pousse de petits cris pressants, l'air de dire : « Remue-toi un peu, quoi ! »

Puis Tom découvre

Léa, accroupie sur la mousse. Elle joue avec une sorte de gros bébé chat.

– Qu'est-ce que c'est ? demande Tom.

– Je ne sais pas, mais je l'aime trop ! Regarde comme il est mignon !

– Oh, toi ! grommelle Tom. Même les dinosaures, tu les trouvais « mignons » ; alors !

Le petit animal donne des coups de patte joyeux à Léa. Sa fourrure dorée est tachetée de noir. Tom sort le livre de son sac et le feuillette.

– Minet, Minet ! bêtifie Léa.

Ça y est, Tom a trouvé une image de l'animal. Il lit :

L'ocelot est un redoutable prédateur. Son pelage tacheté le rend presque invisible. Grâce à ses griffes acérées, il chasse même dans les arbres.

– Laisse ce minet tranquille, conseille Tom à sa sœur. C'est un bébé ocelot. Il va devenir un vrai prédateur, et…

– C'est quoi, un prédateur ? demande Léa.

GRRRR !

Un terrible grondement lui répond.

Tom se retourne.

La mère ocelot avance lentement, une patte après l'autre. Ses babines retroussées découvrent de longs crocs luisants. Son regard doré fixe Léa.

– Ne bouge surtout pas ! souffle Tom.

Léa se fige. Le fauve s'approche toujours. Il va bondir !

– Au secours ! gémit Tom d'une petite voix inaudible.

Brusquement, le singe se laisse tomber du haut de sa branche. Il attrape la queue de l'ocelot et il tire dessus. Le fauve pivote en grondant.

Léa saute sur ses jambes.

Le singe lâche la queue de l'ocelot et s'enfuit de liane en liane, entraînant le fauve à
sa suite.

– Cours, Léa ! crie Tom.

Tous deux s'élancent à perdre haleine
dans l'autre sens.

Vampires
ou chauves-souris ?

Tom et Léa s'arrêtent enfin et tâchent de reprendre leur souffle.

– Ouf ! dit Tom. On lui a échappé !

– Et notre petit singe ? s'inquiète Léa. J'espère que la mère ocelot ne l'a pas rattrapé !

– Pas de danger, les singes sont trop agiles !

« Quoique..., pense Tom, les ocelots sont agiles aussi. Et ils grimpent même aux arbres. » Mais il garde ses réflexions pour lui.

– Kiiiiiii !

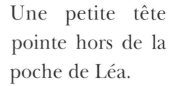

Une petite tête pointe hors de la poche de Léa.

– Cacahuète ! Je t'avais oubliée ! Ça va ? Tu n'as pas été trop secouée ?

La souris fixe la petite fille de ses yeux ronds comme des perles.

– Pauvre Cacahuète ! s'attendrit Tom. Elle a dû avoir peur !

– Et pauvre petit singe ! soupire Léa. Où peut-il bien être ?

– Le singe, il est dans sa forêt à lui, dit Tom. Nous, par contre, on est bien loin de notre bois ! Comment allons-nous y retourner, maintenant ?

Il sort le livre de son sac dans l'espoir d'y trouver un indice qui puisse les aider.

Il tourne les pages et s'arrête soudain sur une image :

– Oh non ! lâche-t-il.

Sous l'image, la légende dit :

Les vampires sont de grosses chauves-souris qui vivent dans la forêt tropicale. La nuit, elles sucent le sang des animaux endormis.

Tom ne se sent pas très bien, tout à coup.

– Des chauves-souris vampires ? répète Léa.

Tom hoche la tête :

– Oui. Elles sortent à la nuit tombée.

Les deux enfants jettent autour d'eux des regards effrayés. Il fait de plus en plus sombre dans cette forêt.

– On devrait rentrer à la maison, dit Léa d'une toute petite voix.

Tom acquiesce en silence ; pour une fois, il est d'accord avec sa sœur.

– Oui, mais… notre mission ? demande Léa.
On ne peut pas laisser tomber Morgane !

– On reviendra, lui assure Tom. Et, cette fois, on aura préparé notre expédition.

– On reviendra… demain ?

– Oui, demain. Maintenant, il faut retrouver la cabane. Voyons, elle doit être… par là !
Et Tom tend le bras dans une direction.

– Par là ! déclare au même moment Léa, en indiquant la direction opposée.

Ils se regardent et lâchent d'une seule voix :

– On est perdus !

– Kiiiiiii !

– N'aie pas peur, Cacahuète, dit Léa en caressant la tête de la petite bête.

– Kiiiiiii ! Kiiiiiii ! Kiiiiiii !

– Tom ! Je crois que Cacahuète veut nous aider !

– Comment ça ?

Léa ne répond pas. Elle sort la souris de sa poche et la pose sur le sol :

– Ramène-nous à la maison, Cacahuète !

Frrrrt ! La souris disparaît.

– Où est-elle partie ? s'affole Léa. Je ne la vois plus !

– Là-bas ! crie Tom en montrant les feuilles mortes qui s'agitent. Les deux enfants s'élancent sur la trace de la petite bête. De temps en temps, sa tête brune surgit, puis s'enfonce de nouveau.

Soudain, le léger mouvement cesse.

Plus une feuille ne bouge.

– Où est-elle passée ? demande Tom.

Il cherche du regard. Rien.

– Tom ! Ici !

Tom se retourne. Léa désigne quelque chose qui pend le long d'un tronc, à moitié caché dans les lianes. L'échelle de corde !

– Ouf ! soupire Tom.

– Cacahuète nous a sauvés ! s'écrie Léa. Regarde !

La souris est en train d'escalader la corde.

– Vite, montons !

Tous deux s'empressent de suivre leur minuscule guide, qui les conduit jusqu'à la cabane magique perchée là-haut, tout là-haut, dans la canopée.

Le premier objet

Lorsqu'ils pénètrent enfin dans la cabane, tout essoufflés, Tom et Léa découvrent Cacahuète assise sur un tas de livres. Léa caresse du doigt la mignonne petite tête.

– Merci, dit-elle.

– Je vais écrire tout de suite deux ou trois choses dans mon carnet, pour ne pas les oublier, dit Tom. Cherche le livre sur le bois de Belleville, pendant ce temps-là.

Ce livre, c'est celui qui va les ramener chez eux. Tom sort son carnet et son stylo. Lui qui voulait prendre des notes comme un vrai explorateur, tout ce qu'il a eu le temps d'écrire, c'est :

L'Amazone, le plus long fleuve du monde, est...

Un peu maigre !

– Il n'est pas là, dit Léa.

– Quoi ?

– Le livre. Il n'est pas là, Tom !

Tom balaie la cabane du regard. C'est vrai, le livre sur le bois de Belleville n'y est pas.

– Misère ! gémit Tom. Comment on va rentrer ?

– Il fait nuit, maintenant. Les chauves-souris vampires vont arriver !

Au même instant, une ombre passe devant l'ouverture de la fenêtre.

– Aaaaaaah ! crient Tom et Léa en se couvrant la tête de leurs bras.

Poum ! Quelque chose roule sur le plan-

cher de la cabane. C'est un fruit. Un gros
fruit orangé. Tom lève les yeux.

Le singe est assis sur le rebord de la
fenêtre, la tête penchée d'un air coquin.
On dirait qu'il rigole.

– C'est toi ! s'écrie Léa. Tu as échappé à
la grosse bête ! Mais, pourquoi tu n'arrêtes
pas de nous jeter des trucs ?

Le singe saute dans la cabane.

Il ramasse le fruit et le brandit.

– Arrête ! crie Tom en se baissant.

Le singe ne lance pas le fruit. Il l'offre à Léa en remuant les lèvres comme s'il tentait de dire quelque chose.

– Oh ! fait Léa, pensive. Je crois que je comprends…

Léa tend sa main, paume ouverte, et le singe y pose le fruit.

– Tu te rappelles, l'« objet » pour sauver Morgane, pour la libérer du mauvais sort…

– Oui, dit Tom. Et alors ?

– Alors, c'est ça ! C'est un fruit ! Cette gentille petite bête essayait de nous le donner, et nous, on croyait qu'il nous jetait des trucs à la tête !

Au même instant, Tom s'écrie :

– Le livre ! Notre livre ! Il est là !

– Tu vois ! Il fallait qu'on trouve l'objet. On l'a trouvé, et le livre est revenu ! C'est normal, c'est magique !

Le singe se met à faire des galipettes en applaudissant. Léa éclate de rire :

– Comment tu savais ça ? Qui te l'a dit ?

Le singe agite la main ; puis il saute par la fenêtre.

– Attends !

Trop tard ! Le singe est parti. Il a disparu dans l'épaisseur des feuilles.

– Au revoir ! lui crie Léa. Et promets-moi de

ne plus tirer la queue de la maman ocelot !
Un petit cri joyeux lui répond du fond de
la mystérieuse forêt.
Tom ramasse son carnet et se relit :

L'Amazone, le plus long
fleuve du monde, est...

Rapidement, il ajoute :

... formidable !

Léa prend le livre. Elle cherche la bonne
image, elle pose son doigt dessus et elle
prononce la phrase habituelle :
– Nous souhaitons revenir dans le bois de
Belleville !
Le vent se met à souffler, les feuilles frémissent. Le vent souffle plus fort, la cabane
commence à tourner. Elle tourne, elle tourne
de plus en plus vite. Puis tout s'arrête.

Un sur trois

– Kiiiiiiii !

Tom ouvre les yeux. Cacahuète est perchée sur le rebord de la fenêtre. Il pousse un soupir de soulagement :

– On est revenus chez nous !

Sa sœur soulève le gros fruit orangé dans la paume de sa main et l'observe à la lumière du soleil couchant.

– Qu'est-ce que c'est, au juste ?

– On trouvera peut-être la réponse dans le livre sur la forêt tropicale, dit Tom.

Il l'ouvre de nouveau, le feuillette.

– Ça y est ! s'écrie-t-il en montrant une image.

Il lit à haute voix :

**La mangue a un goût sucré
qui rappelle celui de la pêche.**

– Une mangue ? Je vais goûter !

Léa approche le fruit de sa bouche.

– Arrête !

Tom lui enlève la mangue. Il va la poser sur le grand M dessiné sur le plancher.

– C'est un des trois objets qui vont nous permettre de délivrer Morgane, affirme-t-il. Tu ne vas quand même pas la manger !

– Tu es sûr ?

– Évidemment ! Mangue ! Avec un M, comme Morgane ! On n'a plus que deux objets à trouver.

– Courage, Morgane ! crie Léa. Tu seras bientôt libérée !

– Tu crois qu'elle t'entend ? fait Tom en secouant la tête.

– Oui, elle m'entend !

– Comment tu le sais ?

– Je le sens.

– Kiiiiiiii !

La souris les regarde de ses petits yeux brillants.

– On va être obligés de te laisser ici, Cacahuète, lui dit Tom.

– Et si on l'emmenait avec nous ?

Tom secoue la tête :

– Maman ne voudra jamais d'une souris à la maison ! Tu sais bien qu'elle déteste les souris !

– Comment peut-on détester les souris ? C'est tellement mignon !

– Toi, tu détestes bien les araignées !

– C'est pas pareil !

Léa tapote gentiment la tête de la petite bête :

– Au revoir, Cacahuète. Merci pour ton aide !

– Kiiiiiiii ! répond Cacahuète

Tom va poser le livre qui les a fait voyager en haut de la pile, sur celui des pirates. Il met son sac sur son dos et se dirige vers la trappe. Léa le suit. Ils descendent par l'échelle. Ils reprennent le sentier du bois…

Comme ils sont loin de la mystérieuse forêt amazonienne ! Les feuilles luisent dans les derniers rayons du soleil. Les oiseaux pépient gentiment. Aucun risque de rencontrer un fauve affamé, ni un crocodile, ni un serpent-liane, ni une armée de fourmis carnivores !

Léa soupire :

– C'est dommage que le petit singe n'habite pas dans notre bois ! Il n'était pas méchant ! Il voulait seulement nous donner la mangue !

– Je sais, dit Tom. D'ailleurs, aucune bête n'est méchante.

– Oh si, quand même ! Les piranhas…

– Les piranhas sont des piranhas ! Ils font ce que font les piranhas, c'est tout !

Léa réfléchit une seconde. Puis elle approuve :

– Et les crocodiles sont des crocodiles. Ils font ce que font les crocodiles !

– Exactement ! Et la mère ocelot…

– La mère ocelot, elle défendait son bébé, la pauvre !

Léa se tait un instant, puis elle ajoute :

– Tout de même, je n'aime pas les araignées !

– Tu n'as pas besoin de les aimer ! Tu n'as qu'à les laisser tranquilles.

Tom pense à ces millions d'insectes inconnus qui grouillent dans la grande forêt tropicale. Au fond, quelle importance s'ils n'ont pas de nom ? Eux, ils savent qui ils sont !

– Cours, Tom ! s'écrie soudain Léa. Il y a une armée de fourmis derrière nous !

Ils partent à fond de train, ils jaillissent du bois, ils remontent la rue au galop, ils traversent leur pelouse. Ils arrivent hors d'haleine sur le seuil de leur maison. Et ils se laissent tomber sur les marches en riant comme des fous. Sauvés !

À suivre...

Découvre vite la suite

des aventures de Tom et Léa dans

Le sorcier de la préhistoire.

La Cabane magique

propulse
Tom et Léa
à l'époque
glaciaire

À tous les enfants qui m'ont aidée à trouver l'inspiration.

Titre original : *Sunset of the Sabertooth*
© Texte, 1996, Mary Pope Osborne.
Publié avec l'autorisation de Random House Children's Books,
un département de Random House, Inc., New York, New York, USA.
Tous droits réservés.
Reproduction même partielle interdite.
© 2005, Bayard Éditions Jeunesse
© 2003, Bayard Éditions Jeunesse pour la traduction française
et les illustrations.

Le sorcier de la préhistoire

Mary Pope Osborne

Traduit et adapté de l'américain
par Marie-Hélène Delval

Illustré par Philippe Masson

Ça commence par un M

— On va à la cabane ? propose Léa en revenant de la piscine avec Tom.

— Passons d'abord à la maison nous changer, dit Tom. On est encore en maillot de bain !

— On ne restera pas longtemps ! Tu ne veux pas délivrer Morgane ?

— Bien sûr que si !

— Alors, allons-y tout de suite ! insiste Léa. Et elle s'engage sur le sentier qui mène au bois de Belleville. Tom soupire. Tant pis, il se changera plus tard ! Il ajuste ses lunettes sur son nez et il emboîte le pas à sa sœur.

Il fait chaud. Les rayons de soleil qui passent entre les feuilles dessinent des taches dorées sur le sol. En arrivant dans la clairière, Tom lève les yeux : la cabane est là, au sommet du plus haut chêne.

– Dépêche-toi ! lui lance Léa, déjà accrochée à l'échelle de corde.

Tom grimpe derrière elle. Les voilà de nouveau dans la cabane.

– Kiiiiiii !

La souris les accueille, assise sur le rebord de la fenêtre.

– Bonjour, Cacahuète ! C'est nous ! dit Léa.

Tom caresse du doigt la tête de la petite bête.

– On n'a pas pu venir plus tôt, s'excuse Léa. On avait notre leçon de natation !

– Kiiiiiii !

– Est-ce qu'il s'est passé quelque chose de nouveau, pendant notre absence ? demande la petite fille en parcourant la cabane du regard.

La mangue de la forêt amazonienne est toujours posée sur le grand M gravé dans le plancher.

– Le nom des deux autres objets que nous devons trouver commence sûrement par la lettre M, dit Tom.

– Évidemment ! M comme Morgane ! Mais où peuvent-ils bien être ?

Des livres sont répandus un peu partout. Dans un coin, Tom et Léa ont empilé ceux qu'ils ont déjà utilisés. Et là, par terre, qu'est-ce qu'ils voient ? Un livre ouvert ! Ils s'approchent, ils se penchent sur les pages, ils regardent l'image. Elle représente un paysage de rochers couverts de neige.

– Moi, j'aime trop la neige ! s'exclame Léa en posant son doigt sur la page. Je voudrais bien aller là tout de suite !

– Tu es folle ! s'écrie Tom. On est en maillot de bain !

– Oh, zut ! fait Léa.

Trop tard ! Le vent s'est mis à souffler. Les feuilles frémissent, la cabane commence à tourner. Elle tourne plus vite, de plus en plus vite. Elle tourbillonne comme une toupie folle. Puis elle s'arrête. On n'entend plus aucun bruit. Dehors, la neige tombe en silence.

Les chasseurs

Tom, Léa et Cacahuète se penchent à la fenêtre. De gros flocons tombent du ciel gris. La cabane est à la cime de l'arbre le plus haut, au milieu d'un bosquet d'autres arbres aux branches dénudées. Tout autour s'étend une vaste plaine blanche. Plus loin se dresse une falaise rocheuse.

– Il f-f-f-fait f-f-f-froid…

Léa s'enveloppe dans sa serviette de bain en claquant des dents.

– Ki-ki-kiiiiiii ! se plaint la souris.

– Pauvre Cacahuète ! compatit Léa. Je vais

te mettre dans une poche du sac à dos de Tom, tu auras moins froid !

– Il nous faut des vêtements chauds, dit Tom. Retournons à la maison.

– On ne peut pas. On ne retrouvera pas le livre avec l'image de notre bois tant qu'on n'aura pas rempli notre mission, tu le sais bien ! C'est comme ça, avec la cabane magique !

– Oh, j'avais oublié !

– Mais où sommes-nous ? demande Léa.

– On va savoir ça tout de suite !

Tom ramasse le livre ouvert et lit le titre en couverture : *La vie à l'époque glaciaire.*

– L'époque glaciaire ! s'écrie Léa. Pas étonnant qu'on soit gelés !

– Oui ! On a intérêt à trouver en vitesse la deuxième chose qui commence par un M ! Sinon, on va être transformés en statues de glace !

Tom fouille dans son sac à dos et en sort deux T-shirts :

– Tiens, dit-il en tendant le plus petit à Léa, on peut au moins enfiler ça. Tu vois que j'ai eu raison de les emporter !

Léa hoche la tête et passe le T-shirt. Puis elle se penche de nouveau à la fenêtre et chuchote :

– Là ! Il y a quelqu'un !

Elle désigne du doigt quatre silhouettes, au sommet de la falaise, deux grandes et deux petites, qui portent des sortes de lances.

– Qui sont ces gens ?

– Je vais regarder dans le livre, dit Tom.

Il tourne les pages et trouve une image avec cette légende :

Les humains de l'époque glaciaire nous ressemblaient déjà beaucoup. On les appelle les hommes de Cro-Magnon.

– Qu'est-ce qu'ils vont faire avec ces lances ? demande Léa.

Tom tourne encore quelques pages. Il lit :

Les hommes de Cro-Magnon sont d'excellents chasseurs. Parfois, ils creusent des fosses, les recouvrent de branchages, et poussent les rennes ou les buffles vers le piège.

– Pauvres bêtes ! C'est méchant !

– Que veux-tu ! dit Tom. Ces gens vivent de la chasse. Ils n'ont pas de supermarchés, figure-toi !

Le petit groupe de chasseurs disparaît de l'autre côté de la falaise.

– Ils ne peuvent plus nous voir, reprend Tom. Profitons-en ! Dépêchons-nous de trouver la chose pour sauver Morgane, je suis gelé !

– Mais je voudrais les rencontrer, moi, ces gens !

– Pas question ! Ils nous prendraient pour des ennemis et nous transperceraient avec leurs lances !

– Ouille ! Tu crois ?

– Sûr ! affirme Tom en rangeant le livre dans son sac.

– Kiiiiiii !

Cacahuète passe la tête hors de la poche du sac.

– Reste là, toi ! lui ordonne Léa.

Tom met son sac sur son dos et commence à descendre. Léa le suit. En posant les pieds sur le sol gelé, ils se serrent l'un contre l'autre. Le vent est glacé. Tom se couvre la tête avec sa serviette. La neige se colle à ses lunettes.

– Hé, Tom, regarde ! s'écrie Léa. On y voit bien mieux, comme ça !

Elle a mis ses lunettes de piscine !

– Bonne idée, dit Tom. Et fais comme moi, mets ta serviette sur ta tête. C'est par la tête que le corps perd le plus de chaleur !

Léa suit son conseil et noue sa serviette sous son menton.

– Essayons de trouver une grotte ou un abri quelconque, décide Tom.

– Il y a sûrement des grottes, dans ces falaises, dit Léa.

Tous deux s'aventurent sur la plaine blanche. La couche de neige n'est pas très épaisse, mais le vent souffle en rafales.

– Là ! crie Léa. J'en étais sûre !

Du doigt, elle désigne une ouverture dans le rocher. Une grotte ! Ils y courent.

– Soyons prudents, murmure Tom.

Ils pénètrent

avec précaution dans la cavité obscure. Il ne fait pas beaucoup plus chaud, à l'intérieur, mais au moins ils sont protégés du vent. Ils tapent des pieds pour décoller la neige de leurs baskets. Léa enlève ses lunettes de piscine.

– Drôle d'odeur…, remarque Tom.

– Oui, ça sent le chien mouillé.

– Je me demande ce qu'ils disent sur les grottes, dans le livre.

Tom sort le volume de son sac et s'approche de l'ouverture pour y voir un peu plus clair.

– Je vais fouiller par ici, dit Léa. La chose qui commence par un M y est peut-être !

Elle s'enfonce dans la pénombre.

Soudain, elle crie :

– Pouah ! Ça pue !

– Hein ? fait Tom sans relever les yeux du livre.

Il continue de le feuilleter et finit par

trouver une image représentant un ours énorme, debout à l'entrée d'une grotte. Sous l'image, il est écrit :

Les grands ours des cavernes étaient encore plus énormes et plus féroces que les grizzlis d'aujourd'hui.

– Léa ! souffle Tom, effrayé. Reviens tout de suite !

Ils ont pénétré dans l'antre d'un grand ours des cavernes !

Brrrrr !

– Léa ! appelle tout bas Tom.

Pas de réponse. Il range le livre dans son sac et s'enfonce dans la caverne.

– Léa ! appelle-t-il un peu plus fort.

Ça sent de plus en plus le chien mouillé ! Tom avance lentement dans l'obscurité. Soudain, il heurte un corps chaud. Il pousse un cri.

– Tom ? demande la voix de Léa. C'est toi ?

– Évidemment, c'est moi ! Viens, il faut sortir de là ! Pourquoi tu ne réponds jamais quand je t'appelle ?

– Écoute ! Il y a quelqu'un qui dort, au fond. Tu entends ces ronflements ?

Tom tend l'oreille. Il chuchote :

– Ce n'est pas quelqu'un. C'est un ours des cavernes.

Un sourd grognement s'élève brusquement.

– Vite, Léa ! On sort d'ici !

Tom attrape sa sœur par la main. Ils retraversent la grotte au pas de course et se retrouvent enfin dehors, sous la neige qui tombe toujours.

Sans cesser de courir, ils bondissent entre des rochers éboulés, au pied de la haute falaise. Enfin, ils s'arrêtent pour regarder derrière eux.

Il n'y a que des rochers, et l'empreinte de leurs pas sur la neige. Pas d'ours en vue !

– Ouf ! souffle Léa. J'ai eu peur !

– Moi aussi, avoue Tom. Mais il est sûrement en train d'hiberner. On a paniqué pour rien !

Léa se serre contre son frère en grelottant :

– Brrrr ! Qu'est-ce que j'ai froid !

– Moi aussi, répète Tom.

Il enlève ses lunettes pour essuyer la neige collée sur les verres. Le vent glacé gifle ses jambes nues.

– Regarde ça ! s'écrie alors Léa en désignant la falaise.

– Quoi ?

Un peu plus loin, il y a une corniche. Juste en dessous s'ouvre une autre grotte. Seulement, l'entrée de cette grotte est éclairée d'une lumière rougeâtre. Un feu ! Il fait sûrement chaud dans cette grotte-là !

Des enfants de Cro-Magnon

Tom et Léa s'approchent à pas de loup et jettent un coup d'œil à l'intérieur de la grotte. De courtes flammes dansent sur un lit de braises rougeoyantes. Dans un coin, près du foyer, sont rangés des couteaux et des haches de pierre taillée. Des peaux de bêtes recouvrent les murs.

– On dirait que c'est habité, chuchote Léa.

– C'est sans doute la maison des gens que nous avons aperçus tout à l'heure.

– Entrons ! On va se réchauffer.

Les deux enfants s'approchent du feu et

tendent leurs mains au-dessus des braises. Leurs ombres s'allongent sur les parois de la grotte.

Tom sort le livre de son sac, le feuillette. Il trouve une image de grotte habitée et lit :

À cette époque, les hommes savent déjà tailler la pierre pour fabriquer des outils, haches, racloirs et couteaux. Ils travaillent l'os et la corne pour en faire des harpons, des hameçons, des statuettes, des flûtes et des bijoux.

Tom sort son petit carnet où il aime noter ce qu'il observe, comme un vrai explorateur. Il écrit :

Les hommes de Cro-Magnon fabriquaient des haches de pierre...

– Et voilà ! s'écrie Léa dans son dos.

Tom se retourne. Sa sœur a enfilé une tunique de peau, qui lui tombe jusqu'aux pieds, avec une capuche et des manches longues.

– Où tu as trouvé ça ?

– Il y en a plein, là ! dit Léa en montrant une pile de fourrures.

Elle prend une autre tunique et la tend à son frère :

– Essaie celle-là ! Ça tient drôlement chaud !

Tom pose son sac et sa serviette sur le sol et passe la tunique. C'est vrai que c'est chaud ! Et doux !

– On ressemble à des enfants de Cro-Magnon ! rit Léa.

– Kiiiiiiii !

Cacahuète sort sa tête de la poche.

– Toi, dit la petite fille, tu restes là-dedans ! Il n'y a pas de manteau à ta taille !

La souris disparaît de nouveau.

– Je me demande comment ils fabriquent ces vêtements, dit Tom.

Il feuillette de nouveau le livre, jusqu'à ce qu'il trouve l'image d'une femme en train de coudre. Il lit :

Les peaux des animaux tués sont récupérées, nettoyées avec des racloirs de pierre pour qu'elles deviennent souples et douces. Puis elles sont cousues avec des aiguilles en os et des lacets de cuir.

Tom ajoute sur son carnet :

Ils se cousent des vêtements en peaux de bêtes.

– J'espère que les habitants de cette caverne ne nous en voudront pas d'avoir emprunté leurs habits, dit-il.

– On n'a qu'à leur laisser nos serviettes de bain à la place, pour les remercier, propose Léa.

– Bonne idée !

– J'espère que la couleur leur plaira, déclare Léa en posant leurs cadeaux sur la pile de fourrures.

– Explorons un peu cette grotte tant qu'ils ne sont pas là, propose Tom.

– Il fait trop noir, dans le fond. On n'y verra rien !

– Ils ont peut-être quelque chose pour s'éclairer. Attends, je regarde dans le livre.

Il tourne encore quelques pages et trouve une image représentant une sorte de lampe. Il lit tout haut :

Les lampes étaient faites
d'une pierre creusée remplie
de graisse d'animaux et garnies
d'une mèche en mousse.

Léa regarde autour d'elle. Soudain, elle s'écrie :

– Là !

Deux de ces lampes primitives sont posées dans une sorte de niche taillée dans la paroi. Tom en prend une avec précaution. Elle n'est pas plus grande qu'un bol à soupe, mais beaucoup plus lourde.

Tom approche la lampe du feu et allume la mèche. Puis il allume la deuxième lampe et la tend à Léa.

– Tiens-la à deux mains, lui recommande-t-il. C'est lourd.

– Oui, oui.

Tom fourre le livre sous son bras, et les deux enfants, chacun portant sa lampe,

se dirigent vers le fond de la caverne.

Ils discernent une ouverture dans la paroi.

– On dirait un tunnel, dit Léa. Je me demande où ça mène…

– On va regarder dans le livre.

Tom pose sa lampe, tourne les pages…

– Je vais voir, décide Léa.

– Attends une seconde !

Trop tard. Léa s'est glissée dans l'étroite ouverture ; elle a déjà disparu.

– Oh, celle-là ! grogne Tom.

Il referme le livre, reprend sa lampe et suit sa sœur en appelant :

– Léa ! Reviens !

– Non ! Viens, toi ! lui répond une voix lointaine. Tu ne vas pas en croire tes yeux !

Tom se glisse à son tour dans le passage. Il aperçoit, tout au bout, une lueur dansante. Baissant la tête pour ne pas se cogner au plafond bas, Tom court vers la lumière.

Il débouche soudain dans une immense caverne.

– Viens voir ça ! s'exclame Léa en élevant sa lampe.

Sa voix résonne en écho. Tom s'approche. Des animaux sont peints sur la paroi, en gros traits rouges, noirs et jaunes. On reconnaît un ours des cavernes, des lions, un élan et un cerf, un bison et des mammouths. À la lumière tremblante des lampes, ces bêtes de la préhistoire ont l'air presque vivantes !

Des traces dans la neige

– Ça alors ! lâche Tom.

– Tu crois qu'on est dans un musée ? demande Léa.

– Sûrement pas, c'est trop difficile de trouver l'entrée !

Il feuillette vite le livre et trouve une explication :

À la fin de l'époque glaciaire,
les chasseurs dessinent à l'intérieur
des grottes les animaux qu'ils chassent.
C'est peut-être un rite magique.

– Oh ! s'écrie Léa. Regarde ça !

Le dessin qu'elle désigne représente une créature bizarre avec des bras et des jambes d'homme, des bois de cerf et un visage de chouette. Il tient une flûte à la main.

Tom se replonge dans le livre. Quand il a trouvé une représentation de la créature, il lit :

112

**Le sorcier est le « Maître des animaux ».
Il porte des bois de cerf
pour courir comme un cerf,
et un masque de chouette pour voir
la nuit comme une chouette.**

– Eh bien ? demande Léa. C'est qui ?

– C'est un sorcier, le Maître des animaux.

– Alors, c'est lui qu'il faut trouver !

– Pourquoi ?

– Parce qu'il est peut-être un ami de Morgane !

Tom approuve de la tête :

– Peut-être…

– Viens ! Allons le chercher !

Ils remontent le tunnel jusqu'à la première grotte. Ils éteignent les lampes et les reposent à leur place. Tom reprend son sac à dos, qu'il avait laissé près du tas de vêtements, et range le livre dedans.

– Comment va Cacahuète ? s'inquiète Léa.

Tom jette un œil dans la poche :

– Elle n'est plus là !

– Oh non ! gémit Léa. Elle s'est sauvée pendant qu'on était dans la grotte aux peintures !

Les deux enfants cherchent partout en appelant :

– Cacahuète !

– Cacahuète !

Tom fouille le tas de fourrures, Léa regarde autour du feu. Soudain, elle crie :

– Tom ! Viens voir !

Léa est à l'entrée de la grotte. Il ne neige plus, et sur la couche blanche qui recouvre le sol on devine la trace de minuscules petites pattes.

Une chanson
dans le vent

– Cacahuète est sortie ! Il faut qu'on la retrouve avant qu'elle soit complètement gelée !

Léa rabat la capuche de fourrure sur sa tête et fonce dehors. Tom met son sac sur son dos et suit sa sœur.

Les traces de la souris les conduisent entre des blocs de rochers, puis vers la plaine. Le vent se remet à souffler, soulevant des tourbillons de neige, effaçant les minuscules empreintes.

– Je ne les vois plus ! gémit Léa.

Tous deux s'arrêtent au milieu de la plaine,
plissant les yeux, à demi aveuglés. Les traces
de la souris ont complètement disparu.
– Tom, regarde ! s'écrie soudain Léa.
Au sommet de la falaise se tient un tigre.
Un tigre géant avec deux longs crocs tran-
chants, qui gronde sourdement.

– Un tigre à dents de sabre ! souffle Tom.

– J'espère qu'il ne nous a pas vus ! murmure Léa.

– Moi aussi ! On ferait mieux de retourner à la cabane !

Tête baissée, ils traversent rapidement le grand champ de neige. Tom se retourne. Le tigre à dents de sabre a disparu !

– Ça alors ! lâche Tom. Où est-il passé ?

– Courons jusqu'aux arbres ! crie Léa.

Ils s'élancent en direction du bosquet dénudé, droit devant eux. Soudain, Tom entend un craquement. Et, brusquement, le sol se dérobe sous ses pieds.

Tom tombe au fond d'un trou. Et Léa dégringole sur lui, entraînant dans sa chute des branchages recouverts de terre et de neige. Ils se débattent, se redressent. Tom rajuste ses lunettes sur son nez.

– Tu n'as rien de cassé ? demande Léa.

– Ça va. Et toi ?

Ils lèvent la tête. Tout ce qu'ils voient, au-dessus d'eux, c'est le ciel où roulent de gros nuages gris.

– On est tombés dans un piège, constate Tom. La neige recouvrait les branches, on ne pouvait pas le voir.

– Comment on va sortir de là ?

La fosse est profonde, les parois sont lisses. Impossible de grimper !

– J'ai l'impression d'être un animal capturé, dit Léa.

– Moi aussi.

À cet instant, un long feulement s'élève non loin de là.

– Le tigre à dents de sabre ! murmure Léa.

Tom enlève son sac à dos, il en sort le livre. Il trouve tout de suite l'image qu'il cherche. Il lit :

Le tigre à dents de sabre est le fauve le plus féroce de l'époque glaciaire. Il attaque aussi bien les humains que les gros animaux comme les mammouths.

– Aïe, aïe, aïe ! gémit Tom.

Il sursaute quand Léa lui agrippe le bras :

– Écoute !

– Quoi ?

– De la musique !

Tom tend l'oreille. Mais il ne perçoit que les gémissements du vent.

– Tu entends ? murmure Léa.

– Non !

– Mais si ! Écoute bien !

Tom ferme les yeux, il écoute de son mieux. Il entend toujours le vent. Puis il perçoit un autre son, une mélodie lente et plaintive. Soudain, Léa pousse un cri de terreur :

– Aaaaaah !

Tom ouvre les yeux.

À l'extérieur de la fosse, penchée sur eux, se dresse l'étrange créature aux bois de cerf et au visage de chouette !

– Le sorcier ! souffle Tom.

– Kiiiiiiii !

Cacahuète est là aussi, au bord du trou !

Le cadeau
du sorcier

Le sorcier ne dit rien. On devine son regard brillant derrière les trous de son masque de chouette.

– Aidez-nous, s'il vous plaît ! supplie Léa.

Le sorcier lance une corde dans la fosse. Tom en attrape le bout.

– Il va nous remonter ! s'écrie Léa.

Tom lève la tête. Le sorcier a disparu !

– Où est-il passé ?

– Je ne sais pas, moi ! Tire un peu sur la corde, pour voir, lui suggère Léa.

Tom tire. La corde se tend. Tom s'accroche

et sent aussitôt qu'on le tire vers le haut.

– Moi d'abord ! Moi d'abord ! crie Léa en sautillant.

– Léa ! Ce n'est pas un jeu ! grogne Tom.

Mais il lui laisse tout de même la place. Léa agrippe la corde, et, en s'aidant de ses pieds, elle se hisse lentement jusqu'à la surface. Tom voit alors le sorcier se pencher pour aider Léa à sortir du trou. Puis tous deux disparaissent.

Tom reste stupéfait : le sorcier s'est servi de ses deux mains pour saisir Léa. Alors... qui tient l'autre bout de la corde ?

Il entend Léa s'écrier :

– Ça alors !

Qu'a-t-elle vu ? Que se passe-t-il, là-haut ? Le sorcier réapparaît et lance de nouveau la corde. Tom l'attrape et commence, lui aussi, à remonter. Ouf ! C'est dur ! Les mains lui font mal, et il a l'impression que ses bras vont s'arracher de ses épaules !

Mais il tient bon, et il émerge enfin du trou. Le sorcier le soulève et le repose dans la neige, sur ses deux pieds.

– Merci ! souffle Tom.

Le sorcier est un homme de haute taille, vêtu d'une longue tunique de peau. Ses yeux brillent derrière le masque de chouette.

– Hou hou, Tom ! l'appelle Léa.

Tom se retourne. Léa est assise sur le dos d'un mammouth !

– Kiiiiiiii !

Et Cacahuète est perchée sur la tête de l'énorme animal ! On dirait un éléphant géant à poils longs, avec de magnifiques défenses qui s'incurvent avec élégance. Dans sa trompe, il tient l'autre bout de la corde.

– C'est Loulou qui nous a tirés du trou ! annonce Léa.

– Loulou ?

– Oui. Je l'ai appelé Loulou. Ça lui va bien, tu ne trouves pas ?

– C'est pas vrai ! soupire Tom en s'approchant prudemment du colosse.

– Mammouth, continue Léa, ça commence par un M ! C'est peut-être Loulou, la chose qu'on doit trouver !

– Ça m'étonnerait, grommelle Tom.

Le mammouth s'agenouille comme un éléphant de cirque.

– Holà, doucement ! crie Léa en se cramponnant à une oreille pour ne pas tomber.

Le sorcier aide Tom à s'asseoir derrière sa sœur. Puis il sort d'une besace en cuir un os blanc, et il le tend à Tom. Le garçon examine l'objet. L'os est creux, et il y a des

trous sur le côté. Ça ressemble à une flûte.
Tom se souvient que, dans le livre, on parlait de flûtes en os.

– Très joli, dit-il, en lui rendant la flûte.
Mais celui-ci lui fait signe de la garder.

– Il est vraiment gentil, ce sorcier de Cro-Magnon ! commente Léa. Non seulement il nous tire du piège, mais en plus il nous fait un cadeau !

– C'est peut-être ça, la deuxième chose pour Morgane, murmure Tom. Seulement, flûte, ça ne commence pas par un M !

– Non, dit Léa. Os non plus. À moins que… C'est peut-être un os de mammouth ?

Tom se penche vers le sorcier et demande :

– Est-ce que vous connaissez Morgane ?

Le sorcier ne répond pas, mais ses yeux rient derrière son masque. Il se détourne, reprend sa corde et l'enroule.

Puis il chuchote quelque chose à l'oreille du mammouth. L'énorme bête se relève en faisant tanguer les enfants, bien assis dans le creux entre sa tête et son dos. À grands pas balancés, l'animal s'avance dans l'étendue enneigée. Puis il se met à trotter.

– Où il nous emmène comme ça ? s'inquiète Tom.

– À la cabane ! le rassure Léa.

– Il sait où elle est ?

– Bien sûr qu'il le sait !

Tom jette un regard en bas. Qu'ils sont haut perchés ! Il a l'impression d'être transporté par une colline à pattes ! Là-bas, debout dans la neige, le sorcier les regarde s'éloigner.

À cet instant, les nuages s'écartent, et le soleil fait étinceler toute cette blancheur. Tom cligne des yeux, ébloui. Quand il regarde de nouveau, le sorcier a disparu.

Dents de sabre

Ballottés sur le dos du mammouth, les enfants traversent la plaine blanche.

– Regarde ! lance Léa.

Un troupeau d'élans passe non loin de là. Les enfants les reconnaissent à leurs larges bois.

– Et là-bas ! s'écrie Tom.

Il montre à sa sœur des rennes qui trottent gracieusement sur la neige. Puis ils aperçoivent un bison, et même un étrange rhinocéros laineux.

C'est curieux, tous ces animaux semblent accompagner les enfants à distance, comme s'ils voulaient les escorter jusqu'à la cabane magique, tandis que la neige scintille sous les rayons du soleil.

« On dirait une grande parade ! pense Tom. C'est fantastique ! »

Le bosquet d'arbres n'est plus très loin.

– Je t'avais bien dit, reprend Léa, que Loulou nous ramenait à la cabane !

Au même moment, leur monture pousse un terrible barrissement. Tous les animaux s'enfuient. Cacahuète émet de petits cris affolés. Tom se retourne. Le tigre à dents de sabre est juste derrière eux !

Loulou barrit de nouveau et part au galop. Tom, Léa et Cacahuète n'ont que le temps de s'agripper de toutes leurs forces à l'épaisse toison pour ne pas tomber !

– Ahhhhhh ! crient les enfants.

– Kiiiiiiii ! crie la souris.

Le sol tremble sous les pattes de l'énorme animal. Il a presque atteint le bouquet d'arbres. Mais le tigre court plus vite que lui. Il passe devant et lui coupe la route. Le mammouth s'arrête.

Le redoutable tigre à dents de sabre avance lentement, en rampant sur la neige.

Loulou lance un barrissement furieux. Mais Tom se souvient de ce qu'il a lu dans le livre : le tigre à dents de sabre est capable de tuer les plus gros animaux, même les mammouths !

Le tigre avance toujours, son regard brûlant fixé sur sa proie, ses longues dents acérées luisant comme des lames.

Le Maître des animaux

Tom est pétrifié. Les yeux écarquillés d'horreur, il attend l'instant où le fauve va bondir.

– Souffle dans la flûte ! lui chuchote Léa à l'oreille.

« Elle devient folle ! » pense Tom.

– Vas-y ! insiste sa sœur en lui donnant un coup de coude.

Tom porte lentement la flûte d'os à ses lèvres. Il souffle. L'instrument émet un son étrange. Le tigre se fige. Son regard de feu transperce Tom. Les mains du garçon se mettent à trembler. Le tigre gronde, il avance encore. Le mammouth barrit et frappe le sol de sa patte.

– Joue, Tom ! le presse Léa. Ne t'arrête pas !

Tom souffle de nouveau dans la flûte. Et de nouveau, le tigre s'immobilise. Tom souffle, souffle, en reprenant à peine sa respiration.

Le tigre gronde, mais ne bouge pas.

– Tu vois, dit Léa, il se tient tranquille, maintenant. C'est normal, c'est la flûte du sorcier, la flûte du Maître des animaux ! Continue !

Tom ferme les yeux. Il prend une grande inspiration. Puis il souffle d'un seul trait, aussi longtemps et aussi fort qu'il peut. Ses doigts courent sur les trous de la flûte. Cela produit une musique si étrange qu'on la croirait venue d'un autre monde.

– Il s'en va ! chuchote Léa.

Tom rouvre les yeux. Le tigre à dents de sabre s'enfuit vers la falaise.

– On l'a eu ! s'écrie Léa en levant les bras.

Le mammouth agite joyeusement sa trompe et pousse un barrissement victorieux. Tom abaisse la flûte. Il se sent épuisé.

– Voilà la cabane, dit Léa.

Loulou le mammouth s'ébroue ; puis il marche lourdement jusqu'à l'arbre le plus haut. Tom tend le bras, attrape l'échelle de corde et l'approche de Léa.

La petite fille caresse l'énorme oreille du mammouth :

– Au revoir, Loulou, et merci !

Et elle grimpe à l'échelle. Cacahuète s'élance derrière elle en plantant ses petites griffes dans la corde.

Dès qu'elles ont disparu toutes les deux dans la cabane, Tom grimpe à son tour. D'en haut, il fait un signe à Loulou :

– Au revoir grosse bête ! Retourne chez

toi, maintenant !
Et méfie-toi du
tigre à dents de
sabre !

Le mammouth
agite une dernière
fois sa trompe et
s'éloigne au petit
trot vers le soleil
couchant.

Quand Tom ne voit plus qu'un point noir sur la neige, il se hisse dans la cabane.

– Le livre ! crie Léa. Il est là !

Tom sourit. Si le livre qui peut les ramener chez eux a réapparu, c'est la preuve qu'ils ont bien trouvé la deuxième chose nécessaire pour délivrer Morgane. Ils ont réussi leur mission, encore une fois !

– Avant de partir, dit Léa, il faut qu'on rende leurs habits aux gens de Cro-Magnon !

– Oh, tu as raison !

Ils enlèvent leurs tuniques de fourrure si chaudes et les lancent par la fenêtre.

– Brrrrr ! fait Léa. J'espère qu'ils les retrouveront !

Tom jette un dernier regard sur la vaste plaine enneigée pour graver dans sa mémoire ce paysage des temps préhistoriques. Le soleil disparaît lentement derrière une colline. Quatre silhouettes trottent dans la neige, leurs ombres s'allongent derrière elles. C'est la famille qui revient de la chasse.

– Hou hou ! appelle Léa.

– Tais-toi ! souffle Tom.

La famille de Cro-Magnon s'arrête et regarde dans leur direction.

– On a laissé vos habits là ! leur crie la petite fille en montrant le pied de l'arbre.

La plus haute silhouette s'avance et lève sa lance.

– Ho-ho ! Il est temps de filer ! constate Tom.

Il s'empare du livre, le feuillette, trouve l'image du bois de Belleville, pose son doigt dessus et déclare :

– Nous souhaitons revenir à la maison !

– Au revoir ! Au revoir ! répète Léa en agitant la main, penchée à la fenêtre.

Le vent se met à souffler. Les feuilles frémissent. Le vent souffle plus fort. La cabane commence à tourner. Elle tourne plus vite, de plus en plus vite. Puis tout se tait, tout s'arrête.

Une flûte
ou un os ?

Il fait chaud, les oiseaux chantent. Tom et Léa sont bien de retour dans leur époque !

– J'espère que ces gens de Cro-Magnon vont récupérer leurs habits, dit Léa.

– Sûrement, affirme Tom en ajustant ses lunettes.

– Kiiiiiiii !

La souris est assise sur le plancher, ses petits yeux ronds et noirs comme des perles fixés sur les enfants.

– Cacahuète, demande Léa, c'est toi qui es allée chercher le sorcier ? Tu le connais ?

– Kiiiiiiii !

– C'est un secret, c'est ça ?

Se tournant vers son frère, la petite fille s'inquiète :

– Tu as la flûte ?

Oui, Tom tient toujours la flûte dans sa main. Il la regarde, les sourcils froncés. Il marmonne :

– C'est forcément l'objet qu'on devait trouver, sinon, on n'aurait pas pu revenir chez nous. Mais *flûte,* ça ne commence pas par un M !

– Moi, insiste Léa, je te dis que c'est un os de mammouth ! *Mammouth,* avec un M !

Tom secoue la tête, pas très convaincu :

– Non, non, je suis sûr que c'est autre chose…

– Quelle importance, du moment que c'est le bon objet ! Pose la flûte à côté de la mangue. Ça en fait deux ! On n'en a plus qu'un à trouver !

– Justement ! reprend Tom. Si le troisième ne commence pas par un M, comment on saura ce qu'il faut chercher ?

– On verra ça demain ! bougonne Léa en haussant les épaules. Viens, on rentre à la maison. J'ai faim !

Tom ne répond pas, il réfléchit. Puis il sort son carnet, et il griffonne quelque chose. Tout à coup, il s'écrie :

– Je crois que j'ai trouvé ! Regarde !

Léa se penche. Sur la page, Tom a écrit :

MORGANE

Et juste en dessous :

MANGUE

– Eh bien ? fait Léa.

– Tu ne vois pas ? Dans mangue, il y a cinq lettres de Morgane, le M, le G, le A, le N et le E ! Ça veut dire qu'il manque encore deux lettres, le O et le R !

– Il n'y a pas de O ni de R dans flûte !

– Non, mais il y a un O dans os ! Et la flûte est en os !

– Génial ! s'écrie Léa. On n'a plus qu'à trouver un truc avec un R ! Et Morgane sera délivrée de son mauvais sort !

– Oui. On cherchera demain.

Léa caresse du doigt la tête de la souris :

– À demain, Cacahuète !

– Merci pour ton aide ! ajoute Tom en posant la flûte à côté de la mangue, sur le grand M dessiné sur le plancher.

Les deux enfants redescendent par l'échelle et prennent le sentier qui mène hors du bois. Ils arrivent dans leur rue. Les façades des maisons sont toutes roses dans la lumière du soleil couchant.

« C'est bon d'être de retour à notre époque !
pense Tom. Pas de cavernes, pas de pièges,
pas de bêtes féroces ! »

– Heureusement qu'on n'a pas besoin
d'aller chasser pour se nourrir ! déclare-t-il.

– Oui, papa et maman sont allés au super-
marché !

– J'espère qu'ils ont capturé un paquet de
spaghettis, du steak haché et une boîte de
sauce tomate !

– Moi, j'aimerais mieux qu'ils aient abattu
une grosse pizza !

– Courons ! décide Tom. Je meurs de faim !

Ils s'élancent le long du trottoir, traversent
la pelouse et poussent la porte.

– C'est nous ! crie Léa. Qu'est-ce qu'on
mange, ce soir ?

À suivre...

Découvre vite la suite
des aventures de Tom et Léa dans
Le voyage sur la Lune.

La Cabane magique

propulse
Tom et Léa
sur la Lune

À *Jacob et Elena Levi, à Aram et Molly Hanessian.*

Titre original : *Midnight on the Moon*
© Texte, 1996, Mary Pope Osborne.
Publié avec l'autorisation de Random House Children's Books,
un département de Random House, Inc., New York, New York, USA.
Tous droits réservés.
Reproduction même partielle interdite.
© 2005, Bayard Éditions Jeunesse
© 2003, Bayard Éditions Jeunesse pour la traduction française
et les illustrations.

La Cabane Magique

Le voyage sur la Lune

Mary Pope Osborne

Traduit et adapté de l'américain
par Marie-Hélène Delval

Illustré par Philippe Masson

Au clair de la Lune

– Tom !

Le garçon ouvre les yeux. Une silhouette sombre est penchée sur lui :

– Réveille-toi, Tom !

Tom allume sa lampe de chevet et se frotte les yeux. Sa sœur, Léa, est debout à côté du lit, tout habillée :

– Allons à la cabane !

– Quelle heure est-il ? marmonne Tom en mettant ses lunettes.

– On s'en fiche, de l'heure ! Viens !

Tom jette un coup d'œil sur son réveil :

153

– Enfin, Léa, il est minuit ! Il fait trop noir dans le bois.

– Pas du tout ! Il y a un clair de lune superbe !

– On ira demain matin.

Mais Léa insiste :

– Pas demain ! Tout de suite ! Il faut qu'on trouve l'objet qui nous manque ! J'ai comme un pressentiment. C'est à cause de la pleine lune, je suis sûre que ça va nous aider.

– Tu m'embêtes ! J'ai envie de dormir.

– Tu dormiras au retour. Tu sais bien que le temps ne passe pas quand on part pour ces voyages magiques !

– Ce que tu peux être casse-pieds ! grogne Tom en s'extirpant du lit.

– Super ! chuchote Léa, tout excitée. Je t'attends en bas.

Et elle sort de la chambre sur la pointe des pieds. Tom bâille, s'étire, enfile à tâtons son jean, son pull et ses baskets. Il vérifie

si son carnet et son crayon sont bien dans son sac à dos. Puis il descend prudemment les escaliers. Léa ouvre la porte de derrière et s'apprête à sortir.

– Attends ! la retient Tom. Je prends une lampe torche.

– Pas la peine. Regarde ce clair de lune ! On y voit presque comme en plein jour !

Avec un soupir résigné, Tom emboîte le pas à sa sœur. Léa a raison ! La lune est si brillante qu'ils n'ont vraiment pas besoin de lampe. La petite fille marche d'un pas décidé. Bientôt, les deux enfants quittent leur rue, s'engagent dans le sentier qui mène vers le bois, pénètrent dans l'ombre des arbres. La cabane est par là, en haut du plus haut chêne.

– La voilà ! dit Léa.

La cabane magique scintille, mystérieuse, dans cette lumière argentée. Léa agrippe l'échelle de corde et commence à grimper.

– Doucement ! chuchote Tom.

Il suit sa sœur et s'introduit derrière elle dans la cabane par la trappe.

Un rayon de lune qui passe par la fenêtre fait briller le grand M gravé sur le plancher. Dessus sont posées la mangue de la forêt amazonienne et la flûte en os venue de l'époque glaciaire.

– Plus qu'un objet, et Morgane sera délivrée du mauvais sort ! se réjouit Léa.

– Kiiiiiiii !

– Cacahuète ! s'écrie la petite fille. Tu ne dors pas ?

La souris est assise au beau milieu d'un livre ouvert.

– Tu nous attendais ? s'étonne Léa. Tu savais qu'on viendrait en pleine nuit ?

Elle prend le petit animal dans sa main tandis que Tom s'empare du livre et s'approche de la fenêtre pour y voir plus clair.

– Je t'avais bien dit, grogne-t-il, qu'il fallait prendre une lampe. Je n'arrive pas à lire !

– Regarde juste le titre sur la couverture.

Le titre est écrit en grosses lettres. Tom lit à haute voix : *À la conquête de la Lune.*

Léa pousse un cri :

– Quoi ? On part sur la Lune ?

– Certainement pas ! Il nous faudrait un équipement spécial. Il n'y a pas d'atmosphère, sur la Lune. On ne pourrait pas respirer ! De plus, on mourrait de chaleur le jour, et de froid la nuit !

– Tu as raison, conclut Léa, c'est impossible. Mais, dans ce cas, où on va ?

Tom hausse les épaules :

– Je ne sais pas, moi ! Peut-être dans un centre d'entraînement pour astronautes ? Ce serait génial !

Tom rêve depuis toujours de rencontrer des spécialistes de l'espace !

– Alors, prononce la phrase magique !

Tom ouvre le livre, le feuillette. Sur une image, il distingue un bâtiment en forme de dôme. Il déclare :

– Nous souhaitons visiter ce centre spatial !

Aussitôt, le vent commence à souffler, la cabane à tourner, plus vite, de plus en plus vite. Tom et Léa ont fermé les yeux. Ils ont l'habitude, maintenant ! Ils se laissent emporter par le tourbillon. Puis tout s'arrête. Quel silence ! Quel étrange silence !

La base lunaire

Tom ouvre les yeux et court regarder à la fenêtre. La cabane magique s'est posée sur le sol d'une immense pièce blanche.

– On est dans un centre spatial, tu crois ? demande Léa.

– J'espère !

Tom prend son sac à dos. Il met le livre sous son bras, enjambe le rebord de la fenêtre et saute de l'autre côté. Léa le suit.

Ils regardent autour d'eux : la vaste salle circulaire ne présente aucune ouverture. Les hautes parois incurvées sont incrustées

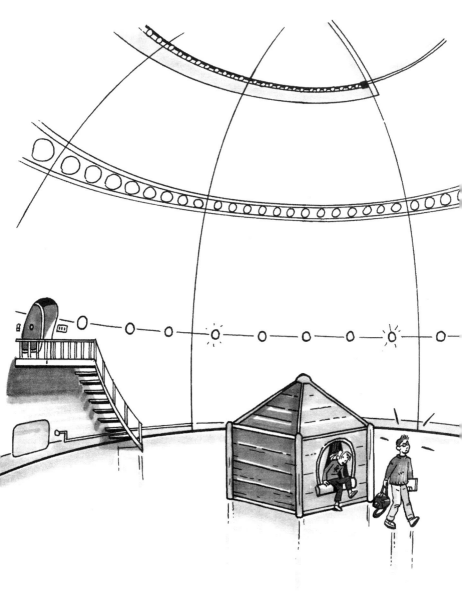

d'un cercle de spots lumineux.

– Hou, hou ! lance Léa.

Pas de réponse.

« Où sont les astronautes et les cher-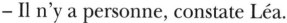cheurs ? » se demande Tom.

– Il n'y a personne, constate Léa.

– Comment tu le sais ?

– Je le sens. Ça me fait une drôle d'impression.

– On va essayer de se repérer, décide Tom.

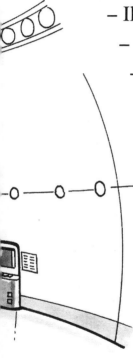

Il ouvre le livre, cherche l'image du dôme, lit la légende écrite au-dessous :

Une base lunaire a été construite en l'an 2031. Le sommet du dôme coulisse pour laisser les vaisseaux entrer et sortir.

– Ça alors ! souffle Tom.

– Quelque chose ne va pas ?

Tom est si excité qu'il ne trouve même plus les mots :

– On a… on est… On s'est posés dans une base lunaire !

– Et alors ?

– Alors, une base lunaire, c'est sur la Lune ! Léa écarquille les yeux, effarée :

– Tu veux dire que… qu'on est sur la Lune ? Tom hoche la tête :

– Attends, ce n'est pas tout. Le livre dit qu'une base lunaire a été construite en 2031. Il a donc été écrit *après*. C'est un livre du *futur* !

– Alors, Morgane a voyagé dans le temps pour emprunter un livre dans une bibliothèque du futur ?

– Exact ! dit Tom. Et nous voilà sur la Lune, dans le futur !

– Kiiiiiiii ! Kiiiiiiii !

La souris saute à son tour par la fenêtre de la cabane et se met à courir sur le sol à toute vitesse en décrivant de grands cercles.

– Qu'est-ce que tu as, Cacahuète ? s'inquiète Léa.

Elle essaie de l'attraper, mais la souris file se cacher derrière la cabane.

– C'est sans doute l'idée d'être sur la Lune qui la rend nerveuse.

– Elle n'est pas la seule, soupire Tom en remontant ses lunettes sur son nez.

– Bon, dit Léa. Explique-moi un peu ce que c'est que cette base lunaire.

Tom reprend le livre et lit :

Quand les chercheurs viennent faire des séjours d'étude et d'exploration sur la Lune, ils peuvent dormir et prendre leurs repas à la base.

– C'est un hôtel de l'espace, quoi !

– Quelque chose comme ça, approuve Tom.

Il continue la lecture :

La base comporte également une aire d'atterrissage et une réserve où sont entreposées les combinaisons, nécessaires pour toute sortie à l'extérieur. La température et la circulation de l'air sont sous contrôle automatique.

– C'est grâce à ça qu'on peut respirer normalement, conclut Tom.

– Parfait ! Maintenant, cherchons le troisième objet pour délivrer Morgane !

– Attends, une minute ! Je veux d'abord relever le plan de la base, dit Tom en ouvrant son carnet.

– Tu relèves ce que tu veux, moi, je visite !

Tom n'écoute pas. Il s'applique à recopier

le schéma du livre. Puis il y ajoute le dessin de la cabane et marque l'emplacement avec un gros X :

– Voilà. On est ici.

Il regarde autour de lui. Léa a disparu.

– Où est-elle encore passée ? grogne-t-il.

Sa sœur a l'agaçante manie de lui fausser compagnie ! Il range dans son sac le livre et le crayon. Il garde son carnet ouvert à la main.

– Kiiiiiiii ! Kiiiiiiii !

La souris est à ses pieds et le regarde, les moustaches frémissantes. Tom l'attrape délicatement et va la remettre dans la cabane :

– Reste là, toi ! Et sois sage ! On reviendra bientôt.

Puis il s'éloigne en appelant :

– Léa !

Bien sûr, elle ne répond pas. Tom examine le plan dessiné sur son carnet. Léa n'a pu partir que dans une seule direction : vers l'escalier qui mène à la sortie, au fond de la salle. Le garçon contourne la cabane, gravit quelques marches...

– Tom ! Viens voir !

Ouf ! Léa est au bout du corridor, plantée devant un large hublot. Juste à côté, on devine la porte du sas donnant sur l'extérieur. Tom rejoint sa sœur et regarde. Le spectacle qu'il découvre le laisse sans voix.

– Incroyable ! souffle-t-il enfin.

Sous les yeux ébahis des enfants s'étend une vaste plaine grise et rocailleuse parsemée de profonds cratères et fermée au loin par une chaîne de montagnes. Le soleil brille, mais le ciel est d'un noir d'encre.

– Bonjour, la Lune ! dit doucement Léa.

3

Sésame, ouvre-toi ! ___

– Le troisième objet magique est sûrement dehors, dit Léa.

Près de la porte du sas, il y a un bouton vert sur lequel est marqué « ouverture ». Léa approche son doigt pour appuyer dessus.

– Arrête ! crie Tom. On ne peut pas sortir comme ça, il n'y a pas d'air sur la Lune !

– Zut, c'est vrai ! Il faut pourtant qu'on quitte la base.

– Attends, je regarde ce que dit le livre.

Il le feuillette et trouve une image représentant la surface lunaire. Il lit :

Une journée sur la Lune équivaut
à quatorze jours terrestres.
Comme il n'y a pas d'atmosphère,
la température peut atteindre
125 degrés au soleil,
et - 175 degrés à l'ombre.

Tom se tourne vers sa sœur :
– Tu vois, si tu allais dehors sans protection,
tu serais transformée en Léa congelée ou
en Léa grillée !
– Aïe ! fait la petite fille.
Tom reprend sa lecture :

Les scientifiques qui travaillent sur
la Lune portent des combinaisons qui
les protègent de la chaleur et du froid.
L'équipement est complété par
un réservoir contenant de l'oxygène.

– Bon, dit Léa, il nous faut des combinaisons.

– D'après le plan, on devrait en trouver par là, dans la réserve, indique Tom.

– Regarde donc autour de toi, au lieu de rester le nez dans ton livre ! se moque Léa.

Elle se dirige vers une porte et l'ouvre :

– Super ! Il y a des tonnes d'habits de l'espace, là-dedans !

D'épaisses combinaisons sont accrochées au mur, ainsi que

des sortes de sacs à dos contenant les réserves d'oxygène. Des casques, des gants et des bottes sont alignés sur des étagères.

– On se croirait dans la salle aux armures du château fort, observe Tom. Tu te souviens ? *

– Oui ! Tu avais même essayé un casque, et il était bien trop lourd pour toi ! J'espère qu'on va trouver quelque chose à notre taille !

Ils fouillent, ils essaient. Ils finissent par dénicher deux combinaisons qui leur vont à peu près. Ils se glissent à l'intérieur. Léa aide Tom à fixer sur son dos la réserve d'oxygène et à la brancher. Puis Tom fait de même pour elle. Ils passent ensuite les casques, enfilent les bottes et enfin les gants. Les voilà prêts.

– Je respire ! Ça marche ! hurle Léa.

– Ne crie pas si fort ! proteste Tom. Tu me fais mal aux oreilles ! On communique par contact radio !

172

* Lire *Le mystérieux chevalier.*

– Oh, pardon, chuchote Léa.

Elle tente péniblement de faire quelques pas et marmonne :

– C'est drôlement lourd, cet attirail. Je peux à peine bouger.

– Ne t'inquiète pas. Dehors, tu te sentiras toute légère : il n'y a presque pas de pesanteur, sur la Lune.

Maladroitement, à cause des gants épais, Tom range le livre dans son sac à dos, met celui-ci sur son épaule et déclare :

– On a de l'air juste pour deux heures, je l'ai lu dans le livre. Dépêchons-nous de chercher le troisième objet pour Morgane !

– J'espère qu'on le trouvera !

– Moi aussi.

Tom se souvient soudain, non sans inquiétude, que la cabane magique ne les ramènera pas chez eux tant qu'il n'auront pas ce mystérieux objet.

– Allez ! On y va ! dit Léa en le poussant dans le dos.

– Ne me bouscule pas ! se fâche Tom. Si on tombe avec tout ça, on n'arrivera pas à se relever !

– Oui, oui ! Avance !

Elle s'approche à pas lourds de l'entrée du sas et déclame :
– Sésame, ouvre-toi !

Comme rien ne bouge, elle appuie sur le bouton vert. La porte coulisse. Tous deux entrent dans le sas. La porte se referme automatiquement dans leur dos. Un autre panneau glisse en silence devant eux.
Ils font un pas, un autre… Tom et Léa marchent sur la Lune !

4

Drôles de bêtes sur la Lune !

– Génial ! souffle Léa.

Elle avance encore, prudemment. Tom, lui, reste figé. Il préfère observer ce qui l'entoure avant d'aller plus loin. Le sol est recouvert d'une couche de fine poussière grise, où s'entrecroisent de multiples traces de pas, comme si des gens venaient juste de circuler autour de la base. Les scientifiques seraient-ils dans le coin ?

Tom sort le livre de son sac. Il lui paraît aussi léger qu'une plume.

Il l'ouvre et tombe sur la bonne page :

Sur la Lune, il n'y a pas d'air, donc ni pluie, ni vent. Ainsi, une trace de pas reste inscrite dans la poussière pour des millions et des millions d'années !

– Waouh ! fait Tom.

Il a l'impression d'être entré dans une image, immobile pour l'éternité. Il lève les yeux vers le ciel noir, où est suspendue une boule blanche et bleue : la Terre ! Incroyable ! Ils ont vraiment voyagé dans l'espace !

Le rire de Léa lui fait tourner la tête :

– Tom ! Hou, hou !

Elle s'amuse à sauter. Elle s'élève si haut qu'on croirait qu'elle va s'envoler. Elle retombe sur ses deux pieds pour rebondir de nouveau :

– Tu as vu ? Je suis un lapin de la Lune !

Tom rit aussi et se replonge dans le livre : comment expliquer à Léa ce phénomène ?

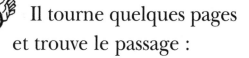

Il tourne quelques pages
et trouve le passage :

**Sur la Lune,
la pesanteur est
faible. Une personne
de soixante kilos
n'en pèse plus que dix
sur le sol lunaire.**

– Arrête de lire, Tom ! lui crie Léa.

Elle lui arrache le volume des mains et le jette en l'air. Le livre s'envole comme un oiseau. Tom s'élance pour le rattraper. Et le voilà qui fait des bonds prodigieux ! Bong ! Bong !

– Hé, Léa ! s'esclaffe Tom. Moi, je suis un kangourou de la Lune !

Chaque fois que ses pieds touchent le sol, un gracieux nuage de poussière s'élève avec lenteur.

Le livre s'est posé sur le bord d'un cratère sombre. Tom se penche pour l'attraper ; emporté par son élan, il dérape, s'affale à plat ventre. Il tente de se redresser, perd l'équilibre, retombe… Il essaie encore. Mais la couche de poussière est épaisse, il s'empêtre dans sa combinaison trop large.

Léa s'approche à lentes enjambées :

– Ça va ?

– Je n'arrive pas à me relever !

– Ça t'apprendra à faire l'idiot !

– Hé ! C'est toi qui as commencé ! Allez, aide-moi, s'il te plaît !

Sa sœur le rejoint, moitié flottant, moitié marchant.

– Doucement ! lui recommande Tom. Ne va pas t'étaler toi aussi !

– Donne-moi la main !

Léa s'arc-boute, tire son frère par le bras. Le voilà debout !

– Merci, souffle-t-il.

– C'était facile, tu es léger comme tout !

– Peut-être. Mais c'est impossible de se relever tout seul.

Il secoue la poussière de son livre. Une exclamation de Léa le fait sursauter :

– Regarde !

– Quoi ?

– En bas ! On dirait une voiture de course !

Au fond du cratère, un véhicule est garé. Il est équipé de quatre larges roues. Sur le côté, au bout d'une tige, s'ouvre une corolle en forme de parapluie. « Sans doute un radar », pense Tom.

– On fait un tour ? propose Léa.

– On n'a pas le temps. On n'a que deux heures d'autonomie, rappelle-toi !

– Justement ! On trouvera plus vite ce qu'on cherche !

Et elle commence à descendre la pente.

– Mais on ne sait pas conduire !

– Pfff ! Je suis sûre que je saurai conduire ça, affirme Léa. Ça n'a pas l'air bien compliqué. N'oublie pas que je suis championne aux autos tamponneuses ! Allez, viens !

La petite fille est déjà installée sur le siège.

– Mais…, mais…, s'affole Tom. On n'a pas le permis !

– On s'en fiche ! Il n'y a pas de routes sur la Lune, pas de feux rouges ni d'agents de la circulation.

« Elle a raison », pense Tom.

Il grimpe sur l'engin, s'assied près de sa sœur. Léa appuie sur un bouton.

Le véhicule recule brusquement.

– Freine ! crie Tom.

Léa enfonce une pédale.

Le véhicule cale avec un soubresaut.

– Il doit être en marche arrière, dit Tom. Laisse-moi étudier ça.

Mais avant qu'il ait le temps d'étudier quoi que ce soit, Léa enfonce un autre bouton. Cette fois, l'engin se cabre, ses deux roues de devant dressées, et retombe lourdement sur le sol.

– Léa ! hurle Tom. Je t'ai dit de me laisser…

Léa ne l'écoute pas. Elle essaie tous les boutons. Tout à coup, le véhicule démarre et fonce droit devant lui.

– Léa ! Ralentis !

– Je ne peux pas ! Je ne sais pas comment on fait !

Agrippée au volant, la petite fille s'efforce de suivre les traces de roues incrustées sur le sol.

– Attention ! s'étrangle Tom.

L'engin jaillit d'un bond hors du cratère, soulevant d'énormes nuages de poussière qui restent suspendus derrière lui.

Un message de la Terre

5

De bosses en trous, le véhicule lancé à pleine vitesse avance en cahotant sur le sol lunaire. Les enfants ont l'impression d'être emportés par un cheval sauvage.

– Je vais passer par là, décide Léa en désignant une ouverture entre deux parois montagneuses.

De l'autre côté, le terrain est encore plus accidenté. Les soubresauts font bégayer Léa :

– Essayons de t-t-t-trouver l'-l'-l'objet pour Mor-Morgane !

Tom est bien trop occupé à se cramponner

185

à son siège pour chercher quoi que ce soit !

Il grogne :

– Ra-ralentis !

– Quoi ?

– Appuie sur la pé-pédale, l-là !

Léa enfonce le frein du bout du pied. L'engin perd de la vitesse, et Tom pousse un soupir de soulagement. Ils sont encore secoués, mais, au moins, ils peuvent prendre le temps de regarder le paysage.

Quel endroit étrange, nu et sans couleurs ! Pas de vert, pas de bleu, pas de rouge ! Pas d'arbres, pas d'eau, pas de nuages dans le ciel. Rien que des rocs et de la poussière grise, des cratères pleins d'ombre et… un drapeau américain !

– Arrête-toi, Léa ! s'écrie Tom. C'est le drapeau planté par les premiers hommes qui ont marché sur la Lune !

Léa dirige le véhicule vers le drapeau, elle freine. L'engin s'immobilise.

Les deux enfants sautent de leur siège. À longues et lentes enjambées, ils approchent du site du premier alunissage. Près du drapeau, il y a une inscription, que Léa déchiffre à haute voix :

ICI DES HOMMES DE LA PLANÈTE
TERRE ONT POSÉ LE PIED SUR
LA LUNE POUR LA PREMIÈRE FOIS.
JUILLET 1969.
NOUS SOMMES VENUS EN PAIX
AU NOM DE TOUTE L'HUMANITÉ.

– C'est un beau message, commente Tom.
Il tend à sa sœur le livre sur la Lune, sort son carnet et son crayon et s'applique à recopier le texte.

– Si on laissait notre message à nous ? propose Léa.

– Qu'est-ce qu'on peut dire ?

– Qu'on est les premiers enfants !

Tom écrit leur message en grosses lettres sur une page blanche de son carnet.

– Il faut signer ! dit Léa.

Tom signe. Il passe le crayon à sa sœur, qui signe à son tour. Puis Tom arrache la page et la pose au pied du drapeau :

AUJOURD'HUI,
LES PREMIERS ENFANTS
DE LA PLANÈTE TERRE
SE SONT POSÉS SUR LA LUNE.
NOUS VENONS EN PAIX
AU NOM DE TOUS
LES ENFANTS !

Tom   Léa

Les enfants se regardent, un peu émus. Dire qu'aucun souffle de vent n'emportera leur message, qu'aucune pluie ne l'effacera ! Il restera ici pour l'éternité !

L'éternité ! C'est un mot qui donne le vertige. Tom secoue la tête pour s'éclaircir les idées. Et, tout à coup, il se souvient : ils n'ont que deux heures d'autonomie ! Depuis combien de temps ont-ils quitté la base ?

– J'aurais dû prendre ma montre, murmure-t-il.

À cet instant, Léa pousse un cri :

– Là ! Un homme de la Lune !

– Hein ?

C'est vrai ! À l'horizon, une silhouette blanche se détache sur le ciel noir. On dirait un géant revêtu d'une combinaison spatiale !

Un grand bond

– Qui est-ce ? souffle Tom.

– Aucune idée, dit Léa. Mais on va bientôt le savoir.

Elle se met à faire de grands gestes :

– Hou, hou !

Tom lui attrape les bras :

– Arrête ! Retournons à la base avant qu'il nous ait repérés !

– Pourquoi ?

– Parce qu'on ne le connaît pas ! Il est peut-être méchant, ou dangereux, ou…

– On ne peut pas abandonner maintenant !

proteste Léa. On n'a pas trouvé l'objet pour Morgane ! Et tant qu'on ne l'a pas trouvé, on ne peut pas rentrer à la maison, tu le sais bien !

– Ce n'est pas la question ! À la base, on peut s'enfermer et attendre que ce type s'en aille. Ensuite, on prendra de nouvelles réserves d'air et on repartira en expédition.

Tom court vers le véhicule et saute sur le siège du conducteur :

– Dépêche-toi !

Léa fait un dernier signe à la silhouette lointaine et suit son frère à regret. Le véhicule démarre avec un soubresaut.

– Doucement ! grogne Léa.

Tom fait demi-tour et fonce, évitant de justesse les cratères et les blocs de rochers. De nouveau, ils rebondissent sur des creux et des bosses ; plus d'une fois, le véhicule manque de verser.

– Ralentis ! crie Léa.

Ils sont presque arrivés au passage qu'ils ont pris à l'aller quand, brusquement, un épais nuage de poussière les enveloppe. Le sol tremble.

– Freine ! hurle Léa.

Tom est complètement aveuglé. Il appuie sur la pédale du frein. Le véhicule cale. La nuée de poussière se dissipe peu à peu. Un énorme bloc est tombé au beau milieu du passage, entre les deux parois rocheuses.

– Ça doit être un météorite, dit Tom. J'ai lu dans le livre qu'il en tombait tout le temps, sur la Lune.

– C'est quoi, un météorite ?

– C'est une roche venue de l'espace.

– Heureusement qu'elle ne s'est pas écrasée sur nous, celle-là !

– Oui. Mais, en attendant, on est piégés.

Léa descend du véhicule et s'approche du météorite. Il est deux fois plus grand qu'elle !

– Ce n'est sûrement pas ça, le truc pour Morgane, murmure la petite fille. C'est trop gros !

Tom scrute le ciel obscur. La silhouette blanche a disparu.

– On n'a qu'à sauter par-dessus ! propose Léa.

– Impossible, c'est trop haut !

– Ah ? Je croyais que tu étais un kangourou de l'espace !

– Très drôle…, grommelle Tom.

– Moi, en tout cas, j'essaie !

– Attends ! Réfléchissons d'abord !

Mais Léa recule déjà pour prendre de l'élan :

– Un, deux, trois, partez !

En trois enjambées, elle est devant le
météorite. D'une formidable détente, elle
s'arrache du sol, s'élève et disparaît derrière l'énorme masse.

– Léa ! crie Tom.

Pas de réponse.

– Oh, celle -là ! marmonne le garçon.

Tom n'a plus qu'à imiter sa sœur. Il prend son élan, bondit. Incroyable ! Il s'envole !

Il retombe gracieusement de l'autre côté.
Mais, en touchant le sol, il perd l'équilibre
et se retrouve à plat ventre dans la poussière. Tom tente de se remettre sur ses
pieds. Impossible. Il veut rouler sur le
côté. Seulement, avec cette encombrante
combinaison, ça ne va pas mieux.

– Oh non, grogne-t-il. Ça ne va pas
recommencer !

– Tom ? Tu as réussi ?

Tom est soulagé d'entendre la voix de Léa, même s'il n'arrive pas à tourner la tête vers elle.

– Tu m'aides à me relever ?

– Je ne peux pas, répond Léa. Je suis tombée à plat ventre.

– Nous voilà bien ! soupire Tom.

Il fait encore une tentative. Rien à faire.

– Est-ce que tu vois quelque chose ?

– Juste un bout de ciel !

– Je me demande ce qu'il nous reste comme oxygène...

À cet instant, il entend la voix de sa sœur chevroter dans ses écouteurs :

– Tom ! Il... il est là !

– Quoi ?

– L'homme de la Lune ! Il est là !

– Hein ?

– Il est debout devant moi !

L'homme de la Lune

Tom sent son cœur faire un bond dans sa poitrine. Il entend Léa parler.

– Salut ! dit-elle. Nous venons en amis !

Il y a un silence. Puis Léa reprend :

– Merci ! Attendez une minute, j'aide mon frère à se relever !

Tom sent qu'on le pousse, qu'on le roule sur le dos. Puis Léa lui attrape les mains, le tire. Hop ! Le voilà sur ses pieds !

– Merci ! dit-il.

L'homme de la Lune est là, à quelques pas. Son visage est caché par un masque

de métal. Il res-
semble à un cos-
monaute, mais
un cosmonaute
géant. La réserve
d'oxygène qu'il
porte sur le dos
a la taille d'un
réfrigérateur !

– Êtes-vous un
homme du fu-
tur ? demande
Tom. Votre équi-
pement, c'est une
sorte de mini-vais-
seau, non ?

Le géant ne ré-
pond pas.

– Il ne nous
entend pas, dit
Léa.

– Il n'est pas branché sur notre fréquence radio, suppose Tom. Je vais lui écrire un mot.

– Bonne idée !

Tom sort son carnet et son crayon, et il écrit en lettres majuscules :

NOUS SOMMES TOM ET LÉA.
NOUS VENONS DE LA TERRE.
ET VOUS ?

Tom tend le carnet et le crayon à l'homme de la Lune. Ils paraissent ridicules dans son énorme main.

Le géant regarde le message. Il regarde le tout petit crayon. Puis il ouvre le carnet à une autre page et lentement, soigneusement, il trace quelque chose sur le papier. Puis il rend le carnet à Tom.

Les deux enfants se penchent sur le message :

– Des étoiles ! dit Léa. Il a dessiné des étoiles !

– C'est peut-être une carte du ciel ?

– Une carte du ciel ? répète Léa. Hé, Tom ! Il y a un « R » dans *carte* !

– Tu as raison ! C'est sûrement l'objet qu'on cherche ! Demandons-lui ce que ça veut dire.

– On ne le saura jamais, soupire Léa. Regarde !

Tom tourne la tête. L'homme de la Lune est parti. Il flotte déjà très loin, au-dessus de la montagne, petite tache blanche dans le ciel noir.

– Au revoir ! crie Léa. Et merci !

Le secret des étoiles

– Qui c'était, ce type ? demande Tom. Et que signifie cette carte ?

– Je n'en sais rien, dit Léa. On n'a qu'à rentrer à la cabane et voir si ça marche !

– Oui. Et dépêchons-nous ! Bientôt, on sera à court d'oxygène. Il me semble que j'ai déjà du mal à respirer.

– Moi aussi !

Ils reprennent le chemin de la base à longues enjambées régulières en économisant leur souffle autant que possible. Quand ils arrivent enfin à l'entrée du dôme, ils sont presque hors d'haleine. Léa appuie sur un bouton, la porte coulisse. Les deux enfants pénètrent dans le sas. La porte extérieure se referme derrière eux ; puis celle du hall s'ouvre à son tour.

À peine entré, Tom enlève son casque, respire à fond :

– Aaaaaah ! Ça fait du bien !

– Débarrassons-nous de ces combinaisons ! dit Léa.

Ils se dirigent vers la réserve pour y ranger leur équipement. Comme ils se sentent lourds, maintenant qu'ils ont retrouvé leur poids habituel ! Ils s'aident l'un l'autre à retirer casques, gants, bottes, et libèrent enfin leurs bras et leurs jambes de leurs embarrassants costumes de cosmonautes.

– Ouf ! soupire Tom en ôtant ses lunettes pour se frotter les yeux. Je me sens mieux comme ça, même si c'était rigolo de sauter comme un kangourou de l'espace !

Léa court déjà vers la cabane :

– Dépêche-toi, Tom ! Cacahuète doit s'impatienter !

Ils empruntent le corridor, descendent les marches qui mènent à la grande salle et constatent avec soulagement que la cabane est toujours là. Même si aucun des deux n'ose l'avouer, ils ont hâte d'être de retour chez eux. La Lune est un lieu un peu trop solitaire à leur goût ! L'un après l'autre, ils passent par la fenêtre.

– C'est nous, Cacahuète ! s'écrie Léa.

– Kiiiiiiii ! fait la souris.

Et elle court s'asseoir sur le grand M dessiné sur le plancher.

– Tu sais qui on a rencontré ? dit Léa en caressant du bout du doigt la tête de la petite bête. Un homme de la Lune !

– Pousse-toi un peu, Cacahuète, intervient Tom. Il faut que je pose cette carte sur le M.

Léa prend la souris dans sa main. Tom sort son carnet de son sac, détache la page où l'homme de la Lune a dessiné les étoiles. Il la pose sur le M, à côté de la mangue et de la flûte en os rapportées de leurs précédentes expéditions. Puis il s'assied sur le plancher avec un soupir et dit à sa sœur :

– Passe-moi le livre avec l'image du bois de Belleville, qu'on rentre chez nous !

Léa ne répond pas.

– Léa ?

– On a un problème, Tom. Je ne vois le livre nulle part !

– Quoi ? La carte n'est pas le bon objet ? Pourtant, il nous fallait quelque chose avec un « R ». Il y a bien un « R » dans *carte* ! Cherche mieux !

Il se lève, et tous deux inspectent chaque recoin de la cabane.

Peine perdue. Le livre n'y est pas !

– Oh non ! gémit Tom. Il reprend la carte et l'examine tout en réfléchissant.

– Pourtant, grommelle-t-il, c'est sûrement ça…

– Kiiiiiiii ! Kiiiiiiii !

207

La souris s'échappe de la main de Léa, saute sur le plancher et court s'asseoir de nouveau sur la lettre M.

– J'ai peut-être une idée, murmure Tom.

Il fouille dans son sac et en sort son crayon.

– Qu'est-ce que tu veux faire ? demande Léa.

– Tu vas voir ! Tu sais comment on dessine une constellation ? On réunit les étoiles entre elles par un trait. Voyons un peu ce que ça donne…

Tom pose son crayon sur le papier et commence à dessiner, très concentré.

– Voilà ! déclare-t-il enfin.

– Montre !

Il tend le papier à Léa.

– On dirait une souris.

– Exactement !

– Ça existe, la constellation de la Souris ?

– Pas que je sache…

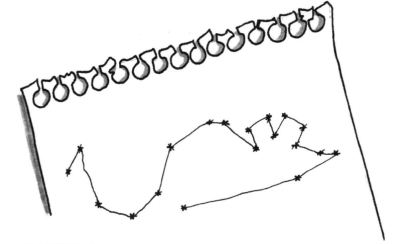

– Kiiiiiiii !

Tom et Léa se tournent vers Cacahuète. La souris est toujours assise sur le M. Elle fixe les enfants de ses petits yeux brillants. On dirait qu'elle veut leur dire quelque chose.

– Tom, souffle Léa, je crois bien que j'ai compris...

– Moi aussi !

Il pose de nouveau sur le M la carte, où les étoiles dessinent la forme de souris, et il épèle : M.O.R.G.A.N.E. Morgane !

– Morgane ! Morgane ! appelle Léa en chantonnant. Morgane !

Soudain, un éclair frappe la cabane. Une clarté intense l'emplit tout entière. Et, peu à peu, une haute silhouette lumineuse apparaît devant les yeux éblouis des enfants. Cacahuète, la souris, a disparu : à sa place se tient Morgane, la fée.

9

La fée Morgane

— Merci, dit doucement la fée. Vous m'avez délivrée du mauvais sort lancé par un méchant magicien.

Tom est si ému qu'il reste sans voix. Mais Léa s'écrie :

— Alors, Cacahuète, c'était vous !

Morgane hoche la tête en souriant.

— Et vous nous avez accompagnés dans nos trois expéditions !

Morgane acquiesce de nouveau.

— Mais pourquoi nous avoir suivis partout ? demande enfin Tom. C'était très dangereux,

pour une souris ! Vous auriez pu être avalée par un serpent dans la forêt amazonienne, ou mourir de froid dans la neige de l'époque glaciaire ! Et ici, sur la Lune, vous ne pouviez pas sortir de la base, sans combinaison spatiale ! Pourquoi vous ne nous avez pas attendus dans le bois de Belleville ?

– Parce que je devais faire signe à… des amis à moi qui étaient là pour vous aider.

Léa se tape le front :

– Je comprends ! Le singe, le sorcier, l'homme de la Lune, c'étaient vos amis !

– Heureusement qu'ils étaient là, dit Tom. Sans eux, on n'aurait jamais pu revenir à la cabane !

– Et... ils parlaient tous le langage souris ? s'étonne Léa.

Morgane se met à rire :

– Certains êtres comprennent le langage des plus petites créatures.

– Mais, intervient Tom, qui vous a transformée en souris ?

– Un... un personnage, répond la fée en fronçant les sourcils, qui a l'habitude de me jouer des tours. Il s'appelle Merlin.

– Merlin ! s'exclame Tom. Le plus puissant des magiciens !

Morgane réplique avec une moue vexée :

– Il n'est pas si puissant que ça ! Il n'a même pas découvert que j'avais deux jeunes amis très courageux, prêts à tout pour me délivrer !

– Nous ? demande timidement Léa.

La fée la regarde en souriant :

– Oui, vous ! Et je vous remercie de tout mon cœur.

Morgane tend aux enfants le livre sur leur région, qui vient d'apparaître comme par magie dans sa main :

– Voulez-vous rentrer chez vous, maintenant ?

– Oh oui ! s'écrient-ils d'une seule voix.

Léa pose son doigt sur l'image du bois de Belleville et dit :

– Nous souhaitons revenir dans notre bois !

Aussitôt, comme au bout de chaque aventure, le vent se met à souffler, la cabane commence à tourner. Elle tourne plus vite, de plus en plus vite… Puis tout s'arrête. Le silence est total. Pas pour longtemps.

10

Sur la planète Terre

Il est minuit. Les bois s'animent soudain : les feuilles bruissent dans le vent. Une chouette ulule. Au loin, un renard glapit. Des grillons invisibles grésillent en chœur. Que de vie sur la Terre !

Tom essuie ses lunettes, les remet sur son nez. Il sourit en constatant que Morgane est encore là. La lumière de la lune allume des reflets d'argent dans sa longue chevelure blanche.

– Morgane, demande Léa, est-ce que vous allez rester ici, dans notre bois, avec la cabane magique et tous les livres ?

– Non, malheureusement, je dois repartir. J'ai été trop longtemps absente du royaume de mon frère, le roi Arthur, et du château de Camelot.

La fée effleure de sa main douce et fraîche la joue de Tom.

– Une petite trace de poussière de Lune ! dit-elle avec un sourire. Merci pour tout, Tom ! Garde toujours ta passion des livres et de la connaissance !

Ensuite, elle se tourne vers Léa et tire gentiment sur une mèche de ses cheveux :

– Merci à toi aussi, Léa, toi qui oses croire à l'impossible !

– Je suis contente de vous avoir connue, Morgane, répond la petite fille.

– Rentrez vite chez vous, maintenant !
Chez eux, c'est ici, sur la Terre, cette planète si belle, si vivante, si colorée !

– Au revoir, Morgane ! dit
Léa en se dirigeant vers
la trappe.

Elle commence à
descendre par
l'échelle de
corde. Tom
met son sac
sur son dos, il se tourne
une dernière fois vers
la fée :

– Vous reviendrez ?

– Qui sait ! L'univers est rempli
de merveilles, et la vie réserve bien des
surprises, n'est-ce pas, Tom ?

Il hoche la tête d'un air grave.

– Va maintenant, dit doucement Morgane.
Au moment où Tom prend pied sur l'herbe,

un coup de vent secoue les arbres. Un étrange rugissement s'élève. Tom ferme les yeux et se bouche les oreilles avec les mains. Puis tout se tait.

Tom desserre les paupières. L'échelle de corde a disparu. Là-haut, sur la plus haute branche du chêne, où une minute plus tôt se tenait encore la cabane magique, il n'y a plus rien. Rien que la lune qui brille entre les feuilles.

– Au revoir, Morgane, murmure-t-il tristement.

– Au revoir, Cacahuète, dit Léa avec un clin d'œil.

Les enfants restent un moment

à regarder la cime de l'arbre. Léa réagit la première :

– Bon, on y va ?

Ils reprennent le chemin de la maison. L'air frais de la nuit est tout bruissant de la mystérieuse vie du sous-bois. Quand ils arrivent dans leur rue, Léa lève la tête et observe :

– Qu'elle est loin, la Lune !

– Oui, dit Tom.

Et il pense : « Si loin, et si près ! »

– Je me demande comment il se débrouille, tout seul, là-haut, l'homme de la Lune, poursuit Léa.

– Comment ça ?

– Eh bien, qui l'aide à enfiler sa combinaison spatiale ? Et à se relever quand il tombe ?

– Moi, je me demande surtout qui il est !

– Un visiteur venu d'une autre galaxie, évidemment !

– Impossible ! On n'a jamais trouvé aucune trace d'êtres extra-terrestres.

– Pas jusqu'à présent. Mais nous, on revient du futur !

– C'est vrai, lâche Tom.

Tom et Léa traversent leur jardin, ils poussent la porte de derrière, se glissent sans bruit dans la maison.

Sur le seuil, Tom jette un dernier regard vers le ciel piqueté d'étoiles.

Léa a-t-elle raison ? Ont-ils rencontré un extra-terrestre ? Les paroles de Morgane lui reviennent en mémoire : « L'univers est rempli de merveilles, et la vie réserve bien des surprises, n'est-ce pas, Tom ? »

– Bonne nuit, Monsieur du Futur ! murmure-t-il.

Et il ferme la porte.

Fin

Imprimé en Allemagne par Clausen & Bosse